CB143169

Motivando para o sucesso

CIP-BRASIL. CATALOGAÇÃO NA FONTE
SINDICATO NACIONAL DOS EDITORES DE LIVROS, RJ

C43m

Chandler, Steve, 1944-
Motivando para o sucesso : conquiste resultados incríveis sem levar sua equipe à loucura / Steve Chandler & Scott Richardson ; tradução Marcos Malvezzi Leal. - Campinas, SP : Verus, 2008.

Tradução de: 100 Ways to Motivate Others
Inclui bibliografia
ISBN 978-85-7686-034-1

1. Motivação no trabalho. 2. Liderança. I. Richardson, Scott, 1954-. II. Título.

08-1313 CDD: 658.314
CDU: 658.310.13

Steve Chandler & Scott Richardson

Motivando para o sucesso

Conquiste resultados incríveis sem levar sua equipe à loucura

Tradução
Marcos Malvezzi Leal

VERUS editora

Título original
100 Ways to Motivate Others:
How Great Leaders Can Produce Insane Results
Without Driving People Crazy

Copidesque
Anna Carolina G. de Souza

Revisão
Ana Paula Gomes

Capa e projeto gráfico
André S. Tavares da Silva

100 WAYS TO MOTIVATE OTHERS © 2005 by
Steve Chandler and Scott Richardson

Original English language edition published by Career Press,
3 Tice Rd., Franklin Lakes, NJ 07417 USA. All rights reserved.

Todos os direitos reservados, no Brasil, por Verus Editora.
Nenhuma parte desta obra pode ser reproduzida ou
transmitida por qualquer forma e/ou quaisquer meios
(eletrônico ou mecânico, incluindo fotocópia e gravação)
ou arquivada em qualquer sistema ou banco de dados sem
permissão escrita da editora.

VERUS EDITORA LTDA.
Av. Brasil, 1999, Jd. Chapadão
13070-178 - Campinas/SP - Brasil
Fone/Fax: (19) 4009-6868
verus@veruseditora.com.br
www.veruseditora.com.br

Para Rodney Mercado

Enquanto os negócios são um jogo de números,
as reais conquistas são medidas em infinitas riquezas emocionais:
amizade, utilidade, ajuda, aprendizado; em outras palavras,
aquele que morre com mais alegrias é o vencedor.

– Dale Dauten

Agradecimentos

Ao maior motivador que já existiu, o sr. Rodney Mercado, menino-prodígio, gênio em dez áreas e professor de música e violino na Universidade do Arizona.

A Chuck Coonradt, que, diferentemente de muitos consultores, não apenas fala sobre como motivar os outros, mas tem um sistema comprovado, o Jogo do Trabalho, que produz resultados impressionantes e é, ao mesmo tempo, uma diversão no ambiente de trabalho. Chuck usou o Jogo do Trabalho primeiramente em sua própria empresa de Fitas de Áudio de Atitude Mental Positiva, depois revelou os resultados disso. Ele percebeu que aquilo que havia criado, o sistema do Jogo do Trabalho, valia uma fortuna para empresas de todos os portes, pois gerava mais sucesso financeiro que a própria Atitude Mental Positiva! Com isso, ele ajudou até mesmo nossas empresas.

Ao extraordinário motivador Steve Hardison, cujos talentos já foram descritos por nós muitas vezes, mas nunca o suficiente.

A Ron Fry, Stacey Farkas e Michael Pye, da Career Press, por tantos anos de excelentes serviços prestados a nossos esforços literários.

E à memória de Lyndon Duke (1941-2004), magnífico professor, motivador e amigo.

Sumário

Introdução

Hora de brincar de "vamos pescar"

Não acredite em nada do que você ler neste livro.

Embora estas cem dicas fáceis tenham sido retiradas de experiências reais de *coaching** e consultoria, você não ganha nada tentando descobrir se acredita nelas. Acreditar não é o caminho do sucesso aqui. O caminho é a prática.

Escolha algumas destas cem maneiras testadas e comprovadas de motivar os outros e utilize-as. Teste-as. Veja o que consegue. Analise os resultados. É assim que conseguirá o que quer de verdade: pessoas motivadas.

A maioria das pessoas que encontramos faz o que *não* funciona, porque tenta motivar os outros projetando neles a própria ansiedade. Os pais fazem isso constantemente, assim como os gerentes e líderes no local de trabalho. Eles ficam preocupados com o mau desempenho de suas equipes e passam essa preocupação para elas. O resultado é que todos ficam tensos e ansiosos!

Passar sua ansiedade para outra pessoa só a motiva a se afastar de você o mais rápido possível. Não a incita a fazer o que você quer que ela faça. Não a ajuda a dar o melhor de si.

* *Coaching* é um tipo de consultoria que vem sendo amplamente utilizado por várias empresas e profissionais. Nesse serviço, uma pessoa (*coach*) se compromete a apoiar outra a atingir determinado resultado, que pode ser o de adquirir certas competências e/ou produzir uma mudança específica. Não há uma área particular que deva ser trabalhada no *coaching* – a gestão do tempo ou a motivação de equipes, por exemplo, podem ser temas desenvolvidos ao longo dos encontros. (N. do T.)

Os gerentes culpam suas equipes pelos resultados medíocres, quando a responsabilidade é deles mesmos. Os CEOs culpam os gerentes, quando a culpa é dos primeiros. Em pânico, eles contratam consultores, falam a respeito de números e então perguntam: "Será que devemos aplicar o peixe? Vocês recomendam o peixe?"

O "peixe" é uma tendência atual de *coaching*, de grande valia para inspirar os funcionários a se concentrar no cliente. Mas neste livro não entregamos o peixe, fazemos um comentário sobre ele. "O peixe apodrece da cabeça para baixo", lembramos ao gerente cujo pessoal não está tendo bom desempenho. E essa é a nossa versão do peixe.

Portanto, se você é o líder em busca de motivação para os outros, o primeiro passo é reconhecer que, "se há um problema, esse problema sou eu". Quando admitir isso, você poderá usar estas cem dicas.

O domínio de alguns paradoxos-chave é vital. São eles que permitem ao nosso programa de *coaching* e consultoria sair da mediocridade e inspirar sucesso onde antes isso não existia.

1. Para fazer mais, desacelere.
2. Para se fazer entender, pare de falar.
3. Para alcançar rapidamente seus números, leve-os menos a sério e faça um jogo com eles.
4. Para liderar as pessoas, vá à frente delas.

Esses são alguns dos paradoxos que colocam a liderança em uma espiral de sucesso que você nunca sequer imaginou.

Esperamos que você goste deste livro, como nós gostamos de escrevê-lo. Esperamos que descubra, como descobrimos, que a liderança pode ser divertida se você a dividir em cem partes fáceis.

1. Saiba de onde vem a motivação

Liderança é a arte de levar uma pessoa a fazer,
pela vontade dela, aquilo que você quer.
– Dwight D. Eisenhower

Um gerente chamado Tom chegou cedo a um seminário sobre liderança que estávamos apresentando. Ele vestia uma camisa pólo verde-oliva e calças brancas com pregas, pronto para um dia de golfe.

Tom caminhou até a frente da sala e disse: “Olhe, como a sua sessão não é obrigatória, estou pensando em não ficar”.

“Tudo bem, mas será que você veio tão cedo só para nos dizer isso? Deve haver alguma coisa que você queira saber.”

“Bem, há uma coisa, sim”, confessou o gerente. “Só quero saber como fazer meu pessoal de vendas melhorar. Como posso gerenciá-los?”

“É só isso que você quer saber?”

“Só isso”, ele declarou.

“Bem, podemos economizar bastante o seu tempo e ainda garantir que chegue a tempo ao jogo de golfe.”

Tom se inclinou para frente, esperando pelas palavras de sabedoria que o ajudariam a gerenciar seu pessoal. E nós lhe dissemos:

“Você não pode.”

“Não posso o quê?”

“Não pode gerenciar ninguém. Agora vá e tenha um bom jogo.”

“O que você está dizendo?”, ele perguntou. “Achei que vocês apresentassem seminários completos sobre como motivar as pessoas. Como assim, não posso?”

"De fato nós damos seminários completos sobre esse tema. Mas uma das primeiras coisas que ensinamos aos gerentes é que, na verdade, eles não podem controlar diretamente sua equipe. A motivação sempre vem de dentro do seu funcionário, não de você."

"Então, o que vocês ensinam?"

"Ensinamos como fazer as pessoas motivarem a si próprias. Esse é o segredo. E isso você consegue gerenciando acordos, não pessoas. É sobre isso que vamos falar esta manhã."

O gerente guardou a chave do carro no bolso e se sentou na primeira cadeira até o fim do seminário.

2. Ensine autodisciplina

Disciplina é você se lembrar do que quer.

– David Campbell, fundador da Saks Fifth Avenue

O mito no qual quase todo mundo acredita é que nós *temos* autodisciplina, que a disciplina é algo inato, como um dom genético, que temos ou não temos. A verdade é que não *temos* autodisciplina, nós *usamos* autodisciplina.

Eis uma outra maneira de entender isso: a autodisciplina é como uma língua. Qualquer criança pode aprender uma língua. (Todas as crianças aprendem uma, aliás.) Qualquer pessoa com 90 anos também pode. Se você tem 9 ou 90 anos e está perdido na chuva em Juárez, no México, pode se virar com um pouco de espanhol e encontrar conforto e segurança. Funciona.

Nesse caso, o espanhol é como a autodisciplina, pois você o está usando para algo específico. Você não nasceu com ele, mas pode usá-lo. E pode usar o máximo ou o mínimo possível desse conhecimento. Quanto mais o usar, mais você realiza.

Se você é americano e de repente é transferido para Juárez, onde viverá por um ano e terá de se virar, quanto mais usar a língua espanhola, melhor será para você. Ainda que nunca tenha falado espanhol antes, você poderá usar a língua.

Você pode abrir seu dicionário inglês/espanhol de expressões e começar a usá-lo. Pode pedir orientações ou ajuda com o auxílio desse dicionário. Para isso, não é necessário nascer com algo especial.

O mesmo se aplica à autodisciplina, exatamente da mesma maneira. A maioria das pessoas, porém, não percebe isso. A maioria pensa que ou se tem autodisciplina ou não se tem. As pessoas crêem que ela é um traço de caráter ou um aspecto permanente da personalidade.

Esse é um engano profundo, um erro que pode estragar uma vida. Mas a boa notícia é que nunca é tarde demais para corrigir o erro em você mesmo e nas outras pessoas. Nunca é tarde para aprender a verdade.

Veja como as pessoas se enganam quanto a essa questão: "Ele seria meu vendedor número 1 se tivesse autodisciplina", disse recentemente um líder empresarial. "Mas não tem nenhuma."

Não é verdade. Ele tem tanta autodisciplina quanto qualquer outro, mas ainda não resolveu usá-la. Assim como nós temos tantas palavras em espanhol para explorar quanto qualquer outra pessoa.

É verdade que, quanto mais eu recorrer ao meu pequeno dicionário e utilizar as palavras, mais fácil será usar o espanhol. Se eu abrir o livro uma quantidade suficiente de vezes e praticar palavras e frases, será tão fácil falar espanhol que parecerá parte de minha natureza, como se fosse algo "inato" – assim como o golfe parece natural a Tiger Woods.

Com a autodisciplina, é a mesma coisa. Se a pessoa liderada por você compreender que a autodisciplina é algo que se *usa,* não algo que se tem, ela poderá usá-la para alcançar quase qualquer meta. Poderá usá-la sempre que quiser, ou deixá-la para trás, se preferir.

Mas, em vez disso, as pessoas se preocupam. Perguntam-se se possuem a garra necessária. Se é "inato". Se seus pais e tutores incutiram isso nelas. (Alguns pensam que a autodisciplina é passada por experiência; outros acham que é um fator genético. Não é uma coisa nem outra. Não é algo "colocado" em nós. É uma *ferramenta* que qualquer um pode usar, como um martelo ou um dicionário.)

Os líderes esclarecidos conseguem mais de suas equipes porque sabem que cada um de seus membros já tem tudo de que precisa para ter sucesso. Eles não aceitam as desculpas, as justificativas, o triste fatalismo que a maioria dos não-realizadores vende muito bem aos seus gerentes. Simplesmente não aceitam nada disso.

3. Sintonize antes de ligar

Não diga às pessoas como fazer as coisas, diga-lhes o que fazer e deixe-as surpreenderem você com os resultados.

– George S. Patton

Você não pode motivar alguém que não o escuta.

Se o que você está dizendo bate na armadura psicológica de uma pessoa, não faz diferença se você fala bem ou não. Ela não o escuta. Seus funcionários têm de escutá-lo para ser tocados.

Para a pessoa ouvi-lo, *ela precisa antes ser ouvida.* O contrário não funciona. Não dá certo se você sempre tem de ser o primeiro, porque o funcionário precisa, em primeiro lugar, compreender que você está na sintonia dele e entende seu modo de pensar.

Como já disse o guru da liderança Warren Bennis: “A primeira regra em qualquer tipo de *coaching* é que o *coach* precisa escutar com atenção. Isso significa que ele deve levar em conta o contexto no qual o ‘outro’ está operando – ele precisa ‘sintonizar’ o ponto de origem do outro. Em suma, talvez a base da liderança seja a capacidade do líder de mudar os parâmetros mentais, a estrutura mental do outro. Isso não é fácil, e eu nem precisaria dizer que quase todos nós, achando que já sintonizamos a outra pessoa, escutamos mais atentamente a nós mesmos”.

Nós trabalhamos com um CEO de serviços financeiros chamado Lance que tinha dificuldades com sua equipe principal de contabilidade, composta por quatro mulheres. Elas não confiavam nele e temiam as reuniões, pois ele costumava ressaltar as falhas delas. Lance não sabia mais o que fazer e pediu nosso auxílio.

“Reúna-se com cada uma delas por vez”, sugerimos.

“E o que eu digo?”

“Não diga nada. Só escute.”

“Escutar o quê?”

“Escute a pessoa na sala com você.”

“O que eu apresento?”

“Nada.”

“O que eu pergunto?”

“*Como vai a vida? Como é a vida para você nesta empresa? O que você mudaria?*”

“E depois?”

“Depois, só escute.”

“Não sei se consigo fazer isso.”

A causa do baixo moral de sua equipe de contabilidade fora identificada. O resto agora cabia a Lance.

4. Seja a causa, não o efeito

Pessoas vazias acreditam na sorte.
Pessoas sábias e fortes acreditam em causa e efeito.
– Ralph Waldo Emerson

Um mestre em motivar os outros pergunta: "O que queremos *fazer acontecer* hoje? O que queremos produzir?"

Essas são as melhores perguntas que um gerente pode fazer. Pessoas que têm dificuldade para gerenciar os outros na verdade têm dificuldade em fazer essas perguntas a si mesmas, porque estão sempre pensando no que vai acontecer *a elas* em vez de pensar no que elas farão acontecer.

Quando sua equipe o vê como uma *causa* e não um efeito, não é difícil ensiná-la a pensar como você. Logo você conseguirá que ela atue muito além do conceito que tem de si mesma.

Você pode fazer isso acontecer.

5. Pare de criticar a gerência superior

Duas coisas são ruins para o coração – correr montanha acima e desmoralizar as pessoas.
– Bernard Gimbel

Esta é uma tentação enorme: distanciar-se de seus superiores.

Talvez você faça isso para cair nas graças da equipe e criar um vínculo com ela com base no papel de vítima, mas não funciona. Na verdade, isso acabará comprometendo a confiança da equipe. Essa atitude envia três mensagens muito prejudiciais para o moral e a motivação:

1. Esta organização não é de confiança.

2. A nossa gerência está contra nós.
3. O seu querido gerente, o seu líder, é fraco e impotente na organização.

Isso cria um vínculo lamentável, porém bem definido, mas também gera profundos problemas de confiança e desrespeito em relação à integridade da organização. Desmoralizar a gerência superior é algo que pode ser feito de modo discreto (virar os olhos quando o nome do superior é mencionado) ou de maneira aberta ("Eu não sei por que estamos fazendo isso, ninguém me consultou quanto a essa política, provavelmente porque sabem que eu não concordaria"). Esse erro é reforçado pelo uso repetido da palavra "eles" ("Eles querem que nós comecemos..." "Eu não sei por que eles querem que façamos isso assim..." "Eles não entendem o que vocês estão passando..." "Eles, eles, eles...")

A palavra "eles" usada em excesso se torna quase uma obscenidade e consolida a impressão de que somos vítimas isoladas, mal compreendidas.

O verdadeiro líder tem a coragem de *representar* a gerência superior, e não desmoralizá-la. O verdadeiro líder nunca diz "eles" para se referir a seus superiores na empresa. O verdadeiro líder diz "nós".

6. Faça a única coisa

Gerenciar é fazer as coisas do jeito certo.
Liderar é fazer as coisas certas.
– Peter Drucker

Não posso motivar os outros se não fizer a coisa certa. E, para me manter centrado e relaxado, é importante não me dispersar, não me distrair nem tentar fazer mil coisas ao mesmo tempo.

É importante não correr de um lado para outro achando que tenho muito que fazer, pois isso não é verdade. A verdade é que *só há uma coisa a fazer*, e é aquela única que escolhi realizar agora.

Se eu fizer aquela única coisa como se fosse tudo que tenho que pensar, ela será extremamente bem-feita, e meu relacionamento com qualquer outra pessoa envolvida será melhor, mais descontraído e mais cheio de confiança que antes.

Uma análise cuidadosa de minha semana me mostra que fiz muitas coisas, e cada uma foi feita por vez. Mesmo em meus momentos mais ocupados, só pude fazer uma coisa por vez, ainda que tenha estressado a mim e os outros pensando em sete coisas ao mesmo tempo... Por isso, enquanto eu falava com você, só conseguia pensar nas sete outras pessoas com quem precisava falar... No fim das contas, as sete sentiram meu estresse e falta de atenção... a absoluta falta de paciência.

Fazer mais de uma coisa ao mesmo tempo produz medo, adrenalina e ansiedade, e as pessoas se ressentem disso. Não gostam e se afastam disso.

A mente se ocupa de um pensamento por vez, só um. A principal causa de nos sentirmos "atolados" ou "sufocados" na vida é o fato de não sabermos isso.

A maior fonte de estresse no ambiente de trabalho é a tentativa da mente de se ocupar de muitos pensamentos, muitas tarefas, muitas perspectivas futuras, muitas preocupações, muitos interesses ao mesmo tempo.

A mente não consegue fazer isso. Nenhuma mente, nem mesmo a de Einstein.

Uma única coisa.

Preciso escolher algo da lista de coisas que precisam ser feitas e executar essa tarefa como se fosse a única. Se for um telefonema, então preciso desacelerar, relaxar e ficar bem-disposto, para que o telefonema seja uma boa experiência e tanto eu quanto a outra pessoa nos beneficiemos dele.

Conversamos na semana passada com Jason, um gerente de vendas nacional que acabara de sair de uma longa e brutal conferência por telefone com sua equipe. Ele passou a conferência toda insistindo nervosamente que seu pessoal atingisse números mais altos e os alertando de que as metas da equipe não seriam alcançadas no atual ritmo. Ele havia convocado a reunião porque seus superiores *o haviam convocado antes* para discutir o baixo desempenho de sua equipe.

Embora Jason trabalhasse doze horas por dia, sentia que estava ficando para trás em tudo. Além disso, a ansiedade de seus superiores o contagiou. Como essa ansiedade foi passada a uma mente frenética e desorganizada, Jason entrou em pânico e descontou em sua equipe.

Isso não é motivação. A motivação precisa de um líder calmo, centrado, focado em uma única coisa.

7. Dê sempre *feedback*

A falha em dar o feedback *apropriado e oportuno é a mais extrema crueldade que podemos infligir a um ser humano.*

– Charles Coonradt, consultor administrativo

Os seres humanos têm sede de *feedback.*

Experimente ignorar uma criança de 3 anos. A princípio ela pede atenção positiva, mas, se continuar sendo ignorada, logo você ouvirá um barulho ensurdecedor ou um choro, porque *qualquer* feedback, *mesmo negativo, é melhor que nenhum.*

Algumas pessoas acham que esse princípio só se aplica às crianças. Mas se aplica ainda mais aos adultos. A forma mais cruel de castigo na prisão é a solitária. A maioria dos prisioneiros é capaz de fazer *qualquer coisa* – até melhorar temporariamente o comportamento – para evitar uma situação com pouco ou nenhum *feedback.*

Talvez você já tenha experimentado o efeito relaxante de uma câmara de privação dos sentidos. Você passa alguns minutos em uma câmara escura, como um casulo, flutuando em água salgada à temperatura do corpo, sem nenhuma luz ou som. É ótimo por alguns minutos, mas não por muito tempo.

Um dia, o único funcionário em uma dessas câmaras de privação dos sentidos largou o emprego subitamente por causa de alguma injustiça que lhe fora cometida, deixando um cliente preso na câmara. Várias horas depois, o cliente foi resgatado, mas precisou ser hospitalizado. Não por danos físicos, mas por causa da psicose ocasionada pela privação de *feedback* sensorial. Quando todo o *feedback* externo é removido, a mente fabrica *feedback* sensorial próprio, na forma de alucinações que geralmente personificam os piores medos da pessoa. Os traumas e pesadelos resultantes disso podem levar pessoas normais à insanidade.

Seus funcionários não são diferentes. Se você interromper o *feedback*, a mente deles fabricará o próprio *feedback*, geralmente baseado nos piores medos deles. Não é por acaso que "confiança e comunicação" são os dois problemas organizacionais mais citados nas pesquisas de satisfação realizadas entre empregados.

Um dos mais notórios dispositivos de tortura militar e do serviço secreto já inventados é a prática de colocar o prisioneiro rebelde na "sala negra". O tempo passado em total privação dos sentidos quebra a resistência do prisioneiro mais rapidamente que a tortura física.

Mudemos o cenário para uma casa. O marido está incentivando a esposa a se arrumar logo para um evento noturno.

Ela pergunta: "Como fica esse casaco em mim?"

"Fica bom, vamos logo!"

"Ah, eu *sabia* que não estava bom. Não consigo encontrar nada para vestir!", ela diz.

Os seres humanos têm sede de *feedback* verdadeiro, não de palavras vazias ou condescendentes.

Os gerentes que têm mais dificuldade de motivar seu pessoal são aqueles que dão menos *feedback*. Se as pessoas perguntam: "Como estamos indo?", eles dizem: "Bem, não sei, não examinei os dados impressos. Tenho a *impressão* de que estamos bem este mês, mas não sei".

Para esses gerentes, é muito mais difícil inspirar realizações em suas equipes. A realização exige *feedback* contínuo. E, se você quiser que seu pessoal dê o melhor de si, é imprescindível estar por dentro – mais que todo mundo – dos números e do que eles significam. Pois os motivadores fazem a lição de casa. Eles sabem como está o placar e passam essa informação constantemente à equipe.

8. Obtenha informações de sua equipe

Não uso apenas os miolos que tenho,
mas também os que posso pedir emprestados.
–Woodrow Wilson

Bons líderes buscam constantemente informações criativas de seus subordinados diretos. Essa prática não só é boa para a empresa, mas também altamente motivadora para as duas partes envolvidas no diálogo.

Um bom líder pergunta às pessoas de sua equipe: "Quando um cliente faz uma pergunta por telefone, como podemos demonstrar a ele que nós somos diferentes das outras empresas e que ele vai se sentir mais bem-vindo e à vontade conosco? Como podemos criar um relacionamento já no momento desse telefonema? O que vocês pensam sobre isso?"

A qualidade de nossa técnica motivacional tem relação direta com a qualidade de nossas perguntas.

Um gerente frustrado, cujos números são medíocres, fará as seguintes perguntas, em vez daquelas apontadas acima, feitas pelo verdadeiro líder: "E aí? Tudo em cima? Como foi seu fim de semana? Como está o departamento hoje? Cheio de trabalho até o pescoço? Como sempre, né? Você está segurando as pontas? Agüente aí, cara. Os clientes estão enchendo a paciência? Babacas. Já vou passar aí para verificar as coisas. Não se preocupe demais, vocês são bons. Não vou pegar muito no pé. Vocês sabem como é a coisa. Agüentem aí".

Esse é um líder que não consegue entender por que os números estão tão ruins. A qualidade de vida desse líder é diretamente afetada pela baixa qualidade de suas perguntas. Diretamente.

Um grande líder faz perguntas que geram idéias de vendas. Um grande líder constrói um grande sucesso a partir da implementação dessas idéias. Ele faz perguntas deste tipo: "Como nós podemos tornar a experiência de comprar na nossa empresa algo fundamentalmente diferente, em nível pessoal, da concorrência? Como podemos parecer mais amigos dos clientes, garantindo a fidelidade e os levando a comprar mais? Como podemos recompensar o nosso pessoal por se lembrar do nome de um cliente? De que maneiras podemos inspirar nossa equipe a buscar vendas cada vez maiores? O nosso pessoal discute o conceito de conquistar um cliente vitalício? Você já foi ao quadro-branco e mostrou à equipe a vantagem financeira disso? Como podemos fazer todos refletirem sobre isso, o dia todo? Como podemos envolver mais a equipe no sucesso da loja? O que vocês acham?"

9. Acelere a mudança

Toda organização deve estar preparada para abandonar tudo que faz se quiser sobreviver no futuro.

– Peter Drucker

Meu papel como líder é sempre – sempre – manter minha equipe animada, otimista e pronta para aceitar qualquer desafio. Essa é a minha tarefa. A maioria dos gerentes não faz isso. Eles se vêem na função de babás, que resolvem problemas e apagam incêndios. E por isso produzem bebês, problemas e incêndios por toda parte.

É importante conhecer a reação psicológica dos empregados à mudança e como ela segue um ciclo previsível. Seus empregados passam por estes quatro estágios, e você pode aprender a gerenciar essa passagem.

O ciclo de mudança

1. Objeção: "Isso não vai ser bom".
2. Consciência reduzida: "Eu não quero lidar com isso".
3. Exploração: "Como posso aproveitar essa mudança?"
4. Aceitação: "Já sei como fazer dessa mudança algo proveitoso para mim e para os outros".

Às vezes, leva muito tempo para o pessoal assimilar os três primeiros estágios do ciclo. A produtividade e o moral podem sofrer uma queda vertiginosa quando os funcionários resistem à mudança. É natural resistir. Todos nós fazemos isso. Detestamos entrar no banho e depois detestamos ter de sair.

Mas, se sou um líder muito bom, quero compreender plenamente o ciclo de mudança para conduzir minha equipe ao estágio de aceitação o mais rápido possível. Quero a total e profunda aceitação deles, para que a mudança funcione para eles, para mim e para a empresa.

Então, como posso ajudá-los a passar pelos estágios um, dois e três?

Em primeiro lugar, me preparo para comunicar essa mudança da maneira mais entusiasmada e positiva possível. Quero dizer, me preparo mesmo. Como muitos excelentes *coaches* já disseram: "Não é a vontade de vencer que vence o jogo, é *a vontade de se preparar* para vencer". Vou me armar para isso. Vou me instruir e informar acerca da mudança para ser um porta-voz entusiasmado a favor dela.

A maioria dos gerentes não faz isso. Eles percebem que sua equipe está resistindo à mudança, por isso se identificam com a resistência leal. Eles simpatizam com a revolta. Dão voz à reclamação contra a mudança. Chegam até a pedir desculpas por ela. Dizem que não deveria ter acontecido. "Isso nunca deveria ter acontecido. Sinto muito. Com tudo que vocês têm de enfrentar... Que pena isso ter ocorrido bem agora."

Toda mudança interna é feita para melhorar a viabilidade ou a efetividade da empresa. Esse é o argumento que quero vender. Quero que o meu pessoal veja o que *eles* vão ganhar com isso. Quero que vejam por si próprios que uma empresa mais viável é um lugar mais seguro para trabalhar.

E quanto às mudanças que vêm de fora? Órgãos reguladores, tendências de mercado, problemas com fornecedores? Nesses casos, quero deixar claro à minha equipe que a concorrência enfrenta os mesmos desafios. Quando chove no campo, chove para os dois times. Portanto, quero enfatizar a superioridade do nosso time, com sua estratégia de chuva. Que a chuva venha para a nossa vantagem.

Vou também manter viva em minha equipe a idéia de mudança como um hábito positivo. Sim, nós mudamos o tempo todo. Mudamos antes que sejamos obrigados a isso.

10. Conheça seus donos e suas vítimas

Aqueles que seguem a parte grande de seu ser se tornarão grandes.
Aqueles que seguem a parte pequena se tornarão pequenos.
– Mêncio

As pessoas motivadas por você tendem a se dividir em duas categorias: donos e vítimas.

Essa distinção vem da obra de Steve Chandler *Reinventando a si mesmo*, que revela em detalhes como os *donos* são pessoas que assumem total responsabilidade por sua felicidade, e as *vítimas* estão sempre perdidas em suas histórias infelizes. As vítimas culpam os outros e as circunstâncias e são pessoas difíceis de lidar.

Os donos assumem o próprio moral. Eles se responsabilizam por suas respostas em qualquer situação. (As vítimas culpam a situação.)

Em um seminário recente, o CEO de uma empresa, chamado Marcus, procurou Steve no intervalo.

"Tenho muitas vítimas trabalhando para mim", disse Marcus.

"Faz parte da nossa cultura", Steve respondeu.

"É, eu sei, mas como posso ajudar essas pessoas a reconhecer sua tendência a se fazer de vítimas?"

"Experimente outra coisa", disse Steve. "Experimente se mostrar animado quando elas *não* se fizerem de vítimas. Tente enfatizar as ações delas que representem ações de donos; tente reconhecê-las quando forem proativas e responsáveis."

"Certo. Quais são as melhores técnicas para usar com cada tipo de pessoa?", Marcus perguntou. "Porque tenho os dois tipos. Tenho donos, também. O tratamento é diferente?"

"Com os donos em sua vida, você não precisa de técnicas. Basta valorizá-los", Steve disse. "Com as vítimas, seja paciente. Deixe-as expressar seus sentimentos e seja empático. Você pode respeitar os sentimentos dessas pessoas sem aceitar seu ponto de vista de vítimas. Mostre-lhes a outra visão. Viva isso para elas. Elas vão perceber que o outro ponto de vista traz melhores resultados."

"Você não poderia ir até lá e apresentar um seminário sobre como ser dono?", Marcus perguntou.

"No fim das contas, mesmo que nós treinássemos o seu pessoal para esse tipo de pensamento, você ainda teria de ser o líder deles todos os dias; do contrário, eles voltariam a pensar como vítimas. Descubra o seu jeito de conduzi-los. Elabore meios de incorporar a sua personalidade e o seu estilo nisso. Não há uma receita mágica, só há o comprometimento. Aqueles que estão comprometidos a ter uma equipe de pessoas responsáveis, criativas e otimistas conseguem exatamente isso. Líderes sem comprometimento não chegam lá. As três coisas básicas que você pode fazer são: 1) recompensar a atitude de dono, sempre que a vir; 2) ser dono você também. 3) assumir total responsabilidade pelo moral e pelo desempenho de sua equipe."

Marcus parecia preocupado. Percebíamos que ele ainda não havia internalizado tudo.

"O que o perturba?", Steve perguntou.

"Não se ofenda."

"Claro que não."

"Como posso transformar uma vítima em dono sem parecer aquele irritante 'pensador positivo'?"

"Você não precisa agir como um irritante pensador positivo para ser um verdadeiro líder. Seja apenas realista, honesto e otimista. Concentre-se nas oportunidades e possibilidades. Concentre-se no aspecto verdadeiro e positivo. Não faça fofocas nem desmoralize as outras pessoas. Não há um truque confiável que funcione sempre, mas, de acordo com a nossa experiência, quando você é um exemplo forte de dono, reconhece e recompensa isso nos outros (principalmente nas reuniões, onde as vítimas o vêem agir assim), fica cada vez mais difícil para as pessoas bancarem as vítimas nesse ambiente. Lembre-se de que ser vítima é essencialmente um artifício. É uma manipulação. Você não tem que fingir que o estado de vítima é um ponto de vista intelectualmente válido, porque não é."

"Certo, entendi. Parece razoável", disse Marcus. "Mas estou pensando em um funcionário novo. Ele foi muito bem durante alguns meses, mas agora parece perdido e se sente traído. Pelo menos, essa é a atitude dele. Como posso incutir nele esse sentido de ser dono?"

"Você não pode 'incutir' coisa alguma em ninguém", disse Steve. "Não diretamente. Ser dono é algo que se consegue sendo dono. Mas você pode encorajar e alimentar essa atitude quando a vir. Pode nutri-la e recompensá-la. Pode até celebrá-la. Se fizer todas essas coisas, a atitude vai transparecer. É como uma flor em seu jardim. Você não a faz crescer, mas, se tomar certas providências, ela cresce."

11. Lidere na linha de frente

Você não pode mudar as pessoas.
Você deve ser a mudança que deseja ver nas pessoas.
– Gandhi

Nada é mais motivacional do que liderar a partir da linha de frente.

Os outros se sentem motivados quando você está lá com a cara e a coragem e fazendo o que quer que eles façam. Seja inspirador. O seu pessoal prefere ser inspirado a ser corrigido ou consertado; aliás, prefere inspiração a qualquer outra coisa.

Como prática motivacional, liderar a partir da linha de frente causa um impacto maior e mais duradouro do que qualquer outra prática. Muda as pessoas de maneira mais profunda e mais completa que qualquer outra coisa que você faça.

Portanto, *seja* o que você quer ver.

Se você quiser que a sua equipe seja mais positiva, seja mais positivo. Se quiser que eles se orgulhem do trabalho que fazem, orgulhe-se do seu trabalho. Mostre-lhes como se faz. Quer que eles tenham boa aparência e se vistam de modo profissional? Faça isso você primeiro. Quer que sejam pontuais? Chegue sempre cedo (e diga a eles o porquê... diga-lhes o que a pontualidade significa para *você*, não para eles).

Como dizia o general George Patton (uma alma gêmea de Gandhi): "Há três princípios de liderança: 1) exemplo, 2) exemplo e 3) exemplo".

12. Ensine a força do pensamento

Grandes homens são aqueles que vêem que
o pensamento é mais forte que qualquer força material,
que os pensamentos governam o mundo.
– Ralph Waldo Emerson

A *coach* JacQuaeline nos contou, na semana passada, uma história sobre um mecânico em um bairro estudantil que se queixava de bater cartão e fazer sempre a mesma coisa no trabalho nos últimos vinte anos.

"Estou esgotado e preciso de uma mudança!", o mecânico declarou.

"Possivelmente", JacQuaeline respondeu. "Mas você pode aprender a amar aquilo a que se opõe, pois, do contrário, vai encontrar a mesma coisa em seu próximo emprego, apenas com aparência diferente."

O mecânico respondeu: "Não sei se acredito nisso, mas digamos que sim. Como isso é possível?"

"Bem", começou a *coach*, "qual é o propósito maior de seu trabalho, além de apertar porcas e parafusos todos os dias?"

"Isso é fácil", respondeu o mecânico. "O propósito maior do meu trabalho é salvar a vida de crianças, todos os dias."

"Sim, isso é ótimo!", disse JacQuaeline. "Agora, toda manhã, quando você se lembrar de seu propósito maior – salvar a vida de crianças –, terá certeza de que o seu trabalho e a sua responsabilidade são tão importantes que o relógio de ponto não tem mais a menor importância."

Ela lhe apresentou uma nova maneira de pensar. Ela o colocou em contato com o poder do pensamento para transformar a experiência.

Certifique-se de que todas as pessoas que você quer motivar compreendam a força do *pensamento* na vida. Não há nada mais importante.

A: Estou deprimido.
B: Você apenas pensa que está.
A: Dá no mesmo... a sensação é a mesma.
B: Parece que dá no mesmo, porque, no fundo, é a mesma coisa.
A: E se eu pensasse que estou feliz?
B: Acho que você se sentiria realmente feliz.
A: Tenho certeza que sim.

Por que a chuva deprime uma pessoa e alegra outra?

Se as coisas "fazem" você sentir algo, por que esse algo chamado chuva faz uma pessoa se sentir de um jeito e outra pessoa de um jeito diferente? Se as coisas fazem você sentir algo, por que a chuva não faz as duas pessoas se sentirem do mesmo jeito?

Uma pessoa liderada por você pode dizer: "Ah, não, mau tempo, que deprimente!" Outra pode dizer: "Ah, que delícia essa chuva refrescante!"

Na verdade, a chuva não faz ninguém sentir coisa alguma. (Nenhuma pessoa, lugar ou coisa pode fazer você sentir coisa alguma.) É *o pensamento a respeito da chuva* que causa esses sentimentos. E, em todas as suas aventuras de liderança, você pode ensinar às pessoas este conceito de suma importância: o conceito do pensamento.

Uma pessoa pode pensar (só pensar!) que a chuva é ótima. A outra pode pensar (só pensar!) que a chuva é deprimente. Nada no mundo tem significado enquanto não lhe dermos significado, até mesmo no ambiente de trabalho. O seu pessoal costuma procurar o significado em *você*. O que essa nova diretriz realmente significa?

Você percebe a oportunidade que tem em mãos? Podemos fazer com que as coisas signifiquem o que quisermos, dentro do razoável. Por que não usar esse poder?

As pessoas não deixam seus funcionários zangados – são os pensamentos deles mesmos que os deixam assim. Eles não ficarão irritados a menos que tenham pensamentos que os façam se sentir assim.

Se uma funcionária sua ganha na loteria logo de manhã, quem vai deixá-la zangada nesse dia? Ninguém. Não importa o que lhe digam, ela não vai se incomodar. Não vai dar a menor atenção. Seus funcionários só podem ficar bravos com uma pessoa se pensarem nela, no que ela está fazendo ou dizendo e na ameaça que representa à felicidade deles. Se não pensarem nisso, por que ficariam zangados?

Seu pessoal é livre para pensar o que quiser. Eles têm total liberdade de pensamento.

O QI mais alto já constatado, por vários anos consecutivos, foi o de Marilyn vos Savant. Quando perguntaram a Marilyn qual era a relação entre sentir e pensar, ela disse: "O sentimento é uma decorrência de como você pensa".

Marco Aurélio escreveu, em 150 d.C.: "A alma se tinge da cor de seus pensamentos".

As pessoas se sentem motivadas somente quando têm pensamentos motivadores. O pensamento é o que manda. As circunstâncias não determinam nada. Quanto mais assimilar essa verdade, melhor líder você será.

13. Diga logo a verdade

Pergunta: Quantas pernas o cachorro tem
se você chamar o rabo de perna? Resposta: Quatro.
Chamar o rabo de perna não faz dele uma perna.
– Abraham Lincoln

Grandes líderes sempre compartilham um hábito comum: eles dizem a verdade mais rápido que outros dirigentes.

Steve vai contar, aqui, sobre um trabalho em que teve de ajudar os gerentes a motivar seus vendedores. Mas isso não se aplica só a equipes de vendas, aplica-se a todas as pessoas:

Sempre ouvi com paciência quando as pessoas me falavam de suas limitações. Em seguida, eu tentava dissuadi-las disso, enquanto elas, por sua vez, insistiam em descrevê-las. Parecia uma obsessão.

Um dia, estava trabalhando com um vendedor em uma difícil sessão individual de *coaching*, até que chegou um momento em que deixei escapar (acho que estava cansado, ou aborrecido, ou passando por um dia estressante): "Sabe de uma coisa? Você está mentindo."

"O quê?", ele perguntou.

"Você está mentindo. Não me diga que não pode fazer nada. Você pode fazer *muito*. Vamos trabalhar com a verdade, pois com ela não mentiremos um para o outro e alcançaremos o seu sucesso muito mais rápido, lidando com o problema da sua auto-enganação."

Meu cliente ficou absolutamente chocado. Ficou me encarando um tempão. Nem sempre é uma boa técnica de relações humanas chamar alguém de mentiroso. Não recomendo. Se não estivesse tão cansado, creio que não a teria usado, mas o incrível foi que meu cliente, de um momento para outro, começou a sorrir! Ele se sentou e disse: "Sabe de uma coisa? Você está certo."

"O quê?", perguntei.

Ele repetiu: "Eu disse: 'Sabe de uma coisa? Você está certo'. Não estou falando a verdade, estou?"

"Não."

"Você tem razão", ele disse. "Posso fazer muita coisa."

"Pode mesmo."

Essa é a principal mentira que você ouve no mundo dos negócios, principalmente em vendas: "Não posso fazer nada". É a mentira do tipo "Estou desamparado e impotente". A verdade é que você sempre pode fazer muita coisa. Apenas tem que escolher o modo mais criativo e eficaz de fazer as coisas. Como escreveu Shakespeare: "Ação é eloqüência".

Conheço uma vendedora que começa seu dia de folga perguntando a si mesma: "Se eu fosse minha própria *coach*, o que recomendaria fazer neste instante? Que ação criativa e benéfica eu poderia realizar para que meu cliente, no fim, ficasse grato? Que ação me traria o mais alto retorno?"

Outra cura rápida para o sentimento de "não posso fazer nada" é perguntar a si mesmo: "Se eu fosse meu cliente, ou possível cliente, o que eu gostaria que eu fizesse?"

Os grandes vendedores, e quaisquer pessoas que conduzem equipes atuantes e prosperam em sua profissão, são grandes doadores. Esses indivíduos permanecem em constante contato com seu poder de *fazer muito*, dando freqüentemente benefícios a seus clientes internos e externos – informações importantes, ofertas de serviço, respeito por sua dedicação, apoio para seu sucesso, contatos amistosos e animadores, sinceros reconhecimentos –, dando algo o dia todo, sempre colocando em primeiro lugar as necessidades e desejos do cliente. Eles sempre fazem as melhores perguntas e são os melhores ouvintes. À medida que o comprometimento cresce e se expande, e esses dons são utilizados com cada cliente em comunicações criativas e contínuas, esse tipo de vendedor se torna especialista em psicologia do cliente e comportamento de compra. E esse vendedor também percebe que tal nível estonteante de *know-how* só pode ser adquirido por meio de uma grande interação baseada em benefícios!

Começa uma nova semana, e este pensamento ocorre: *Há* tanta *coisa boa a fazer que mal posso esperar.*

14. Não confunda estresse com zelo

O estresse é resultado do próprio estresse e,
ao mesmo tempo, sua causa.

– Hans Selye, psicólogo

A maioria dos gerentes usa a dupla negativa como forma de motivar os outros. Primeiro, eles se aborrecem intencionalmente diante da perspectiva de *não* alcançar suas metas; depois, usam esse aborrecimento como energia negativa para atiçar a equipe.

Isso não funciona.

Estressar-se por causa das metas da equipe não é o mesmo que zelar por elas. O estresse não é uma forma útil de motivação.

Ninguém tem bom desempenho se estiver tenso, estressado ou cansado. Nenhum líder consegue isso. Nenhum vendedor. Nenhum atleta. Nenhum angariador de fundos. Nenhum jogador de futebol. Nenhum pai ou mãe.

Uma pessoa estressada, tensa, só tem acesso a uma porcentagem pequena de sua habilidade e inteligência. Se o seu time está jogando, você quer um jogador tenso, estressado, cobrando uma falta ou chutando a gol nos momentos finais do jogo? Ou preferiria ver um jogador confiante, calmo, topar o desafio?

A maioria das pessoas se estressa como uma forma (ou exibição) de "superzelo" em relação a uma meta. Mas isso não é zelo, é estresse, que nos leva a ter um desempenho pior. O verdadeiro zelo nos ajuda a melhorar. É vital para o líder saber a diferença. Não poderia haver duas coisas mais diferentes.

Zelar significa descontrair, focar e recorrer a *todos* os seus recursos, toda aquela magia descontraída, aquela dinamite suave que você utiliza quando presta total atenção com paz de espírito. Todo mundo tem melhor desempenho quando está descontraído e focado.

"Basicamente, o estresse é um desligamento da Terra", diz a grande professora de criatividade Natalie Goldberg. "É esquecer de respirar. O estresse é um estado ignorante. Ele faz você acreditar que tudo é uma emergência. Nada é tão importante assim. Apenas descanse."

Não é necessário se estressar, apenas focar e permanecer focado. Tudo aquilo em que você presta atenção se expande. Não desperdice sua atenção em qualquer lugar. Direcione-a para aqueles lugares onde você quer os melhores resultados: clientes, dinheiro ou qualquer outra coisa. De maneira descontraída e alegre, seja implacável, coeso, tranqüilo e poderoso. Assim você terá sucesso. Seja gentilmente implacável. Com essa gentileza, entregue-se a sua magnífica obsessão.

15. Gerencie seus superiores

Não existe crítica construtiva.

– Dale Carnegie

Jean era administradora de um grande sistema hospitalar com o qual estávamos trabalhando. Ela recebeu de bom grado o serviço de *coaching* que estávamos realizando, mas tinha uma pergunta urgente a respeito de seus superiores.

"Nós já tivemos muitos chefes a quem nos reportar", ela disse. "Parece que, quando estamos nos acostumando com um determinado CEO, o hospital apresenta uma pessoa nova."

"Qual é exatamente o problema disso?", perguntamos.

"Bem, com tantas mudanças de líderes ao longo dos anos", ela começou, "como podemos confiar no processo?"

"Confiando no processo. Confiança não é o mesmo que verificação. A confiança implica alguns riscos. E não é necessariamente bom ou ruim quando ocorrem mudanças de liderança. A pergunta é: Você pode aprender a viver e a trabalhar com a mudança? Não importa se há mudanças demais, e sim o que você vai fazer para aproveitar a mudança."

"Mas e se nós não gostarmos da nova liderança?", ela insistiu.

"Do que vocês não gostam?"

"As mensagens que nos passam são ambíguas!", Jean disse. "E como a empresa pode querer que tenhamos o controle da situação quando a diretoria nos confunde com suas mensagens?"

"Todas as grandes organizações com as quais já trabalhamos tiveram ou têm de lidar, em variados graus, com essa questão de 'mensagens ambíguas'. Elas acontecem porque, afinal, somos todos humanos, e é difícil coordenar muitas pessoas dinâmicas e criativas de modo a formar um grupo coeso."

"Concordo", ela disse. "Mas é um desafio."

"É um desafio que deve ser enfrentado. Mas não é necessário encará-lo como fonte de derrota ou depressão. É apenas um desafio. Já vimos muitas vezes a 'mensagem do alto' se tornar mais coerente e unificada quando o pedido de unidade 'de baixo' se torna mais benevolente e criativo."

"Você está dizendo que devo gerenciar melhor a *diretoria*?"
"Exatamente."
"E as palavras-chave são 'benevolente' e 'criativo'?"
"São exatamente essas as palavras-chave."

16. Guarde a mangueira

Líderes sábios e grandes realizadores compreendem que não podem ter a esperança de eliminar os problemas... e nem querem isso.
– Dale Dauten

Por que tantos dirigentes são líderes ineficazes?

Porque agem como bombeiros, apagando incêndios. Quando você se torna um bombeiro, não lidera mais. Você não decide para onde sua equipe está indo – é o incêndio que decide em seu lugar. (O *incêndio* pode ser qualquer problema que surge inesperadamente e toma seu tempo e sua imaginação.)

O incêndio controla sua vida. Você pensa que está controlando o fogo, mas é o fogo que o está controlando. Você não percebe mais as oportunidades. Torna-se cego às possibilidades porque está imerso no fogo, deixando-se definir por ele.

Se você é um gerente não-motivador, mesmo quando apaga um incêndio, você percorre a empresa atrás de mais chama. Logo, *a única coisa que você conhece é um incêndio*, e a única coisa que ainda sabe fazer é apagá-lo. Mesmo quando não há um incêndio real, você encontra algo para *redefinir* como incêndio, porque é um bombeiro e quer trabalhar o tempo todo.

Um grande motivador não apaga incêndios 24 horas por dia. O verdadeiro motivador conduz as pessoas do presente para o futuro. O único momento em que um incêndio é relevante é quando atrapalha uma meta futura. Às vezes, o líder nem precisa apagar o fogo. Ele pode simplesmente contornar as chamas (ou passar por cima delas) e chegar ao futuro desejado.

Um bombeiro, por outro lado, pára tudo e só combate o incêndio. Essa é a diferença básica entre um gerente inconsciente (cuja atividade é guiada pelo fogo) e um líder consciente (cuja atividade é orientada pelas metas desejadas).

17. Tenha uma imagem clara

As pessoas não podem ser administradas... Os inventários podem, mas as pessoas precisam ser conduzidas.

– H. Ross Perot

Esta é uma pergunta muito comum: A liderança não é algo inato? Alguns indivíduos não são considerados *líderes natos*?

Isso é um mito. Liderança é uma habilidade, como jardinagem, ou xadrez, ou jogos de computador. Ela pode ser ensinada e aprendida em qualquer idade, se houver o compromisso de aprender. As empresas *podem* transformar seus gerentes em líderes. Mas então por que nem todas fazem isso?

A maioria delas não sabe o que é um líder. Os dirigentes das empresas não lêem livros sobre liderança, não organizam seminários e treinamentos sobre o assunto e não fazem reuniões para discutir essa questão. Por isso, não são capazes de definir o que é liderança. É difícil encorajar ou cultivar algo que você não consegue definir.

O remédio para isso é sempre ter uma imagem clara do que é um bom líder. Ninguém é motivado por uma pessoa que não consegue sequer descrever o que é a grande liderança!

Em seu poderoso e inovador livro de administração empresarial, *The Laughing Warriors*, Dale Dauten oferece a imagem de um líder que segue um código: "PENSAR COMO UM HERÓI (Quem eu posso ajudar hoje?), TRABALHAR COMO UM ARTISTA (O que mais podemos tentar?), RECUSAR-SE A SER MEDIANO (Procurar a excelência e agarrá-la) e CELEBRAR (Mas não ficar com o crédito)".

A visualização contínua desse código cria um grande líder.

18. Gerencie acordos, não pessoas

Aqueles que mais demoram a fazer uma promessa
são os mais fiéis na hora de cumpri-la.

– JEAN-JACQUES ROUSSEAU

"Alguém aqui trabalha com pessoas que parecem impossíveis de gerenciar?", Steve Chandler perguntou logo no início de um de seus seminários de liderança.

Os gerentes que ocupavam toda a sala fizeram que sim com a cabeça e sorriram. Alguns viraram os olhos para cima, concordando. Obviamente, eles tinham muita experiência em tentar gerenciar pessoas assim.

"Como se faz isso?", um gerente perguntou. "Como se gerenciam pessoas impossíveis de gerenciar?"

"Não sei", respondeu Steve.

"Como assim, não sabe? Estamos aqui para aprender a fazer isso", reclamou outro.

"Eu nunca vi isso acontecer", disse Steve. "Porque acredito que, no fim das contas, todas as pessoas são impossíveis de gerenciar. Nunca conheci ninguém que fosse bom em gerenciar pessoas."

"Então, para que fazer um seminário sobre gerenciar pessoas, se isso é impossível?"

"Bem, diga-me você: é possível? Será que podemos de fato gerenciar pessoas? Você gerencia a sua mulher? Consegue isso? Acho que não."

"Bem, então a aula acabou?"

"Com certeza, não. Podemos ficar e aprender como os grandes líderes obtêm resultados excelentes de suas equipes. Mas fazem isso sem gerenciar pessoas, pois basicamente isso não é possível."

"Se não gerenciam pessoas, fazem o quê, então?"

"Gerenciam acordos."

Os gerentes erram quando tentam gerenciar sua equipe. É como se tentassem pegar água com um garfo, ao gerenciar as emoções e a personalidade das pessoas. Depois, tentam "cuidar" daqueles que estão mais aborrecidos, não para promover melhor entendimento e comunicação, mas para evitar conflitos e para que gostem deles.

Isso provoca um gerenciamento deficiente e muita psicoterapia amadora ineficaz. Também encoraja os funcionários a assumir uma posição mais imatura em sua comunicação com a gerência, quase uma tentativa de ver no supervisor um pai ou uma mãe, em vez de estabelecer um relacionamento de adulto para adulto.

A primeira responsabilidade de um líder é garantir um relacionamento maduro.

O verdadeiro líder não banca o psicoterapeuta amador, tentando gerenciar as emoções e a personalidade de cada um o dia todo. Um bom líder é compassivo e sempre tenta compreender os sentimentos dos outros. Mas não tenta *gerenciar* esses sentimentos.

O líder gerencia, isto sim, acordos. Ele cria acordos com membros da equipe e os encara com uma postura adulta. Toda comunicação é feita com respeito. Ele não pode ceder à tentação de intimidar, ser mandão ou sabe-tudo.

Quando acordos são feitos entre adultos, as pessoas não precisam mais ser gerenciadas. O acordo é que será gerenciado. Essa atitude é mais madura e respeitosa, e ambas as partes desfrutam de uma comunicação mais aberta e confiável. Há também mais responsabilidade dos dois lados, e fica mais fácil discutir temas desagradáveis.

Harry era um funcionário que sempre chegava atrasado às reuniões. Muitos gerentes lidariam com esse problema falando de Harry pelas costas, ou tentando intimidá-lo com sarcasmo, ou tratando-o com frieza e não respondendo aos seus chamados, ou se reunindo com ele para bancar o terapeuta. Mas nossa cliente, Jill, não fez nada disso.

Jill elaborou um acordo conjunto com Harry para que ele e ela chegassem na hora certa às reuniões. Eles concordaram que seriam fiéis ao compromisso. Esse é um processo adulto, que gera comunicação aberta e responsabilidade descontraída. Jill percebeu que, quando pessoas adultas se comprometem a cumprir um acordo, isso contribui para uma cultura empresarial mais aberta e responsável, com níveis mais altos de auto-responsabilidade e auto-respeito.

O impacto mais benéfico do gerenciamento de acordos é na comunicação. Essa forma de gerenciamento lhe permite ser mais honesta, aberta e completa.

O compromisso do gerenciamento de acordos consiste basicamente em dois adultos profissionais trabalhando juntos, diferente da atitude de "eu sou seu pai ou sua mãe substitutos. Você é uma criança má e agiu errado. Estou triste e decepcionado com você. Sei que você tem seus motivos, seus álibis e histórias, mas mesmo assim estou decepcionado". Esse tipo de abordagem não é gerenciamento, não é liderança. Não é sequer profissional. Essa atitude – que diríamos que 80% dos gerentes adotam – não passa de uma abordagem intuitiva e superficial, do tipo "pai e filho", para gerenciar seres humanos.

O problema com o gerenciamento do tipo pai e filho é que a pessoa que o recebe não se sente respeitada. E a precondição mais importante e mais poderosa para o bom desempenho é haver confiança e respeito.

Digamos que a minha equipe concordou em realizar algo. Todos combinaram de assistir a um vídeo e depois fazer um teste pela Internet. Mas não fazem nada disso! O que isso significa? O que isso revela sobre eles? O que revela sobre mim?

Revela apenas que a pessoa encarregada de realizar o projeto é alguém com quem preciso fortalecer meu acordo. Não é alguém que fez algo "errado". Não preciso dar bronca em ninguém. É apenas uma pessoa com quem não fiz um acordo firme.

Preciso, portanto, me sentar com cada um dos membros da equipe ou ter uma boa conversa por telefone e dizer: "Você e eu temos de entrar em um acordo quanto a essa questão, porque é uma coisa que precisa ser feita, e quero que você a faça da maneira mais eficaz que puder, e que isso não atrapalhe o seu trabalho diário. Vamos conversar, então. Deixe-me ajudálo para que possamos trabalhar juntos. Não temos outra opção, por isso você e eu precisamos encontrar um meio de trabalharmos como co-autores, juntos, entrando em acordo".

Em seguida, devo fazer as seguintes perguntas: "Você está disposto a fazer isso? Consegue fazer as pessoas seguirem essa determinação? Pode verificar se estão seguindo? Você tem como implementar isso? Precisa do meu apoio?"

E, no fim da conversa, a pessoa concordará comigo em relação ao projeto. Observe, contudo, que esse acordo é bilateral. Como co-profissional, também me comprometo a fazer certas coisas.

A pessoa em questão poderia dizer: "Sabe, uma das dificuldades é que nós não temos nenhum aparelho para assistir a esse vídeo, não tem TV na loja".

Eu diria, então: "Se eu conseguir uma TV, é só disso que vocês precisarão?"

"É, sim."

"Então, pode ter certeza de que até sexta-feira haverá uma TV na loja. O que mais posso fazer por vocês?"

Pois o líder também está sempre servindo. Não apenas passando as leis, mas servindo. E sempre perguntando: "Como posso auxiliá-los? Como posso servir e ajudar vocês com isso?" O verdadeiro líder quer uma promessa absoluta, um desempenho absoluto.

E, agora que nós dois concordamos, pergunto com sinceridade: "Posso contar com você para fazer isso, com 100% de sua colaboração? Posso esperar isso de você?"

"Claro que pode."

Ótimo. Damos um aperto de mãos. Dois profissionais saem da reunião com um acordo que fizeram a partir de um respeito mútuo, após uma conversa profissional e adulta. Ninguém foi "gerenciado".

19. Enfoque o resultado, não a desculpa

Um líder deve ser capaz de mudar uma organização que não tem sonhos, não tem alma e não tem visão... é uma pessoa que faz despertar.

– Warren Bennis

Se você é gerente de vendas, provavelmente sofre das mesmas frustrações que sofria Frank quando conversou conosco na semana passada, ligando de São Francisco.

"Acho que preciso de conselhos sobre como passar a mensagem 'simplesmente faça' à minha equipe", ele disse. "Já a transmiti de todas as maneiras possíveis, e estou começando a soar como um disco quebrado. Não sei por que liguei para vocês. Achei que talvez vocês aconselhassem seus clientes a ler algum livro novo, ou que tivessem algumas palavras gerais de sabedoria."

"Qual é especificamente o seu problema?"

"Metade das pessoas da equipe que gerencio são totalmente improdutivas!", ele disse. "Eu vivo dizendo: 'Não acontece por magia', 'É preciso alcançar resultados', 'É preciso fazer acontecer'. E digo ainda: 'Levante dessa cadeira e vá procurar indicações, faça de 60 a 75 telefonemas, visite de 8 a 10 clientes potenciais por semana e veja que assim você terá sucesso'."

"O que está faltando aí?", perguntamos a Frank. "O que há de errado na imagem que você tem? Por que eles não estão fazendo o que é preciso para vender?"

"Foi por isso que liguei para vocês. Se eu *soubesse o que está faltando*, não teria ligado."

"Não é só o 'simplesmente faça' que está faltando na equação dos improdutivos. Embora a gente pense que é. O que realmente está faltando é algo muito mais profundo. O que está faltando é o '*querer fazer*'."

"Ah, eu sei o que eles querem. Eles querem a comissão e o sucesso."

"Não querem, não, pois, se quisessem, teriam."

"Ah, então vocês acham que as pessoas sempre conseguem o que querem?"

"Na verdade, sim."

"É mesmo? Não vejo isso."

"É por isso que somos humanos. Sabemos como conseguir o que queremos. Somos sistemas biológicos designados para isso."

Conversamos por bastante tempo. Queríamos que Frank visse uma coisa: as pessoas improdutivas de sua equipe não estavam produzindo porque *não queriam*. Se você é um gerente, precisa entender isso. Se você é improdutivo, precisa entender isso.

Os indivíduos improdutivos não trabalham com vendas para concentrar toda a sua atenção no sucesso como vendedores. Se fizessem isso, seriam produtivos. Mesmo que digam que estão concentrados nos resultados, não é verdade. Eles estão na área de vendas por outros motivos. Talvez achem que precisam do dinheiro, e por isso pensam que "deveriam estar" lá.

Mas não conseguem nenhum impulso intelectual ou motivacional a partir do "deveria". Esse "deveria" os programa para o fracasso, pois implica que ainda são crianças e estão tentando corresponder às expectativas de outras pessoas. Não há poder nisso. Não há enfoque. Não há impulso.

Vendedores que fazem o dia todo o que pensam que "deveriam" fazer convertem seus gerentes em pais e mães. Eles regressam à infância, choramingam e reclamam. Mesmo quando você tenta gerenciar meticulosamente as atividades deles, mesmo que você seja eloqüente e mostre que a atividade A sempre leva ao resultado B e este sempre leva ao resultado C, ainda assim eles trabalham com indiferença e procuram em vão por um novo "como fazer", vindo de outros mentores e indivíduos produtivos.

Frank agora começa a ver claramente essa forma de disfunção, mas ainda não sabe que providências tomar.

O que ele precisa gerenciar é o *querer* e não o *como fazer*. Frank precisa de um curso rápido de gerenciamento de resultados, pois, como a maioria das pessoas, está preso no mundo do gerenciamento de processos. O verdadeiro prazer da liderança só vem quando você obtém resultados.

"Diga-me o que devo fazer como gerente", ele pediu, quando percebeu que havia compreendido a idéia.

"Com a meta de vendas (planejamento, quota, números) dos improdutivos à sua frente para uma discussão mútua", nós dissemos, "você precisa extrair e cultivar o *porquê*. Por que você quer isso? De que lhe servirá? Se nós lhe disséssemos que há atividades que com certeza o levariam a esse número, você as faria? Se acha que não, por quê? Você prometeria a si mesmo e a mim que faria tais atividades até chegar ao número desejado? Por que não?"

Se você é um gerente como Frank, por favor, lembre-se de que algumas pessoas não querem realmente o que dizem querer, e nem sequer sabem disso. Você sabe que, se elas realmente quisessem ser produtivas, nada no mundo as impediria.

"Distúrbio do déficit de intenção" é o termo que inventamos para a disfunção que se encontra no âmago da improdutividade. Não é um déficit de técnica nem de *know-how*. Técnica e *know-how* são *avidamente* adquiridos pela pessoa que tem a intenção absoluta e centrada de vencer.

O verdadeiro truque a longo prazo para o bom gerenciamento é contratar pessoas que querem o sucesso. Uma vez dominada essa difícil arte, você sempre se dará bem. Mas somos indolentes no processo de recrutamento e procuramos e escutamos pelos motivos errados.

Por que fazemos isso? Por que não observamos essa crucial falta de desejo no processo de recrutamento? Por este motivo: as pessoas contratadas realmente têm um grande "querer" na hora de arrumar emprego. Elas querem, de fato, a vaga. Entretanto, isso é muito diferente de querer ter sucesso no trabalho. São duas metas completamente diferentes. Não prestamos total atenção no processo de entrevista, escutamos apenas metade do que as pessoas dizem e confundimos o desejo ardente de *arrumar um emprego* com o desejo de ter sucesso nele. É algo completamente diverso.

Os melhores gerentes que treinamos sempre se demoram mais e prestam mais atenção no processo de contratação do que seus concorrentes. Depois de contratarem pessoas ambiciosas, concentram-se em gerenciar as metas *pessoais* delas. Quando os gerentes aprendem a associar as atividades de vendas às metas pessoais mais específicas do vendedor, essa prática se torna muito mais significativa.

Esses gerentes passam o dia gerenciando resultados, não atividades. Seu reforço positivo sempre foi por resultados, não por atividades.

20. Treine o resultado

Enquanto não houver comprometimento,
só haverá promessas e esperanças...
mas nenhum planejamento.
– Peter Drucker

Todo indivíduo improdutivo que você supervisiona está vivendo algum tipo de conflito.

Esses indivíduos dizem que querem ter sucesso e atingir os números desejados, mas suas atividades demonstram o contrário. Nem eles mesmos conseguem ver isso, mas você, o gerente, consegue, e isso o deixa louco.

Finalmente, um dia você tem aquela conversa de sempre, quando diz: "Sinto que quero isso para você mais do que você mesmo quer". Então eles ficam com os olhos embaçados, e as lágrimas começam a cair enquanto dizem que você está enganado. E você, sendo uma pessoa tão compassiva, acredita! E acaba lhes dando mais uma chance. Você faz todo tipo de ato heróico para eles e perde um tempo que poderia ser mais bem utilizado com seus funcionários produtivos.

Lembre-se sempre de que o tempo que você passa ajudando uma pessoa produtiva ajuda *mais* a produção da equipe do que o tempo passado com os improdutivos.

Pesquisas mostram que os gerentes passam mais de 70% de seu tempo tentando fazer os improdutivos produzir. E a maioria dos produtivos que pedem demissão e vão procurar outro emprego faz isso porque não recebeu atenção suficiente. Esses indivíduos não se sentiam reconhecidos pela empresa nem cresciam em suas posições.

Se você ajuda um empregado produtivo, que vende dez bolinhos por semana, a aprender como vender quinze, você o ajudou a crescer 50% e, melhor ainda, acrescentou cinco bolinhos ao total da equipe. Se, por outro lado, você passasse esse tempo com um empregado improdutivo, elevando o nível dele em 50%, ele passaria de dois bolinhos para três. Teria acrescentado apenas um bolinho (em vez de cinco) ao total da equipe. A maioria dos gerentes passa a maior parte do dia investindo no improdutivo... acrescentando *um bolinho* ao total.

É preciso simplificar, simplificar, simplificar. O gerente não precisa fazer o que faz normalmente: complicar, multiplicar as tarefas e complicar mais.

Simplifique ao máximo a situação para o improdutivo, enfocando apenas os resultados. Passe cada vez mais tempo com os produtivos, que estão atrás da margem extra que você é capaz de lhes oferecer.

Os improdutivos têm uma lição enorme para aprender com você. Eles podem aprender, a cada dia, que a produtividade é resultado direto do desejo (ou da falta de desejo) de alcançar o número preciso. As pessoas criam meios de conseguir o que desejam. A maioria dos improdutivos quer apenas manter o emprego (por causa da desaprovação do marido ou da mulher, caso o percam; pelo medo da vergonha etc.), por isso concentram todas as suas forças em *manter o emprego*, deste mês para o seguinte. Se puderem fazer o mínimo como vendedores, e ainda garantir o emprego, já estão conseguindo o que querem. As pessoas sempre conseguem o que querem.

O desafio do gerente é redirecionar todos os esforços diários ao objetivo de alcançar o número preciso. Se o seu pessoal acredita que *tem* de alcançar esse número, com certeza alcançará, e as técnicas nunca serão um problema. Eles as encontrarão. Experimentarão todas as técnicas existentes até o número aparecer.

De alguma forma, os improdutivos se convenceram de que não existe relação direta de causa e efeito entre aumentar certas atividades e atingir o número desejado.

Você se lembra daqueles robôs de brinquedo e carrinhos que tinha quando era criança, que batiam contra a parede, giravam trinta graus e tentavam de novo? E, sempre que colidiam com alguma coisa, faziam um giro de trinta graus e tentavam novamente. Se você colocar um desses brinquedos em uma sala com a porta aberta, ele sempre a encontrará. Sempre. É programado para fazer isso. Ele é mecanicamente preparado para tentar *até conseguir.*

Os superprodutivos também se programam para isso. É a mesma coisa. Eles vão experimentando coisas novas até encontrarem o caminho. Chocam-se contra uma parede, imediatamente giram trinta graus e tentam de novo.

O improdutivo bate na parede, fica deprimido e se recolhe, às vezes por vinte minutos, às vezes o dia todo ou até a semana toda. Alternadamente, ele bate contra a parede, não toma outra direção e continua batendo na mesma parede até acabar a bateria. É a morte de um vendedor.

Os gerentes também cometem o erro de cair na história dos problemas dos improdutivos. Eles entram na cruzada interminável dos improdutivos, que consiste em convencer a todos de que não existe relação de causa e efeito em seu trabalho. É tudo questão de sorte! Na verdade, os improdutivos quase se deliciam quando mostram evidências de que não existe relação de causa e efeito. Contam histórias longas de todas as atividades que *não deram em nada.* De todo o esforço em vão. De todas as vezes em que se enganaram com possíveis compradores.

A oportunidade real do gerente é ensinar aos seus funcionários o respeito absoluto pela responsabilidade pessoal por resultados. Todo mundo que está vendendo no mercado livre é 100% responsável por sua situação financeira. Todo vendedor é responsável pelos *resultados,* bem como por suas atividades.

Seus funcionários improdutivos sempre tentarão convencê-lo de tudo que fizeram, de todas as medidas que tomaram. O que eles não querem é assumir responsabilidade pelos resultados. Um bom gerenciamento de vendas é direcionado a resultados, não a atividades. No entanto, a maioria dos gerentes de vendas passam o dia loucos, gerenciando atividades.

Por quê? Porque *sabem* que, se o vendedor se ocupar dessas atividades sem parar, *obterá* resultados. Por isso, gerenciam atividades. Eles precisam mudar essa atitude e gerenciar resultados. Precisam responsabilizar as pessoas pelos resultados que elas estão obtendo, e *não* por quanto elas tentam. No momento em que o gerente aceita a conversa de como elas estão tentando com afinco, ele quebra o elo de causa e efeito.

Se você, como gerente, perguntar: "Quanto X você faz?", seus funcionários perguntarão: "Como aprendo uma técnica melhor para X?" E, embora seja sempre bom ter técnicas melhores, esse não é o ponto em questão aqui. Estamos discutindo os resultados. Subconscientemente, eles tentam desviar você dos resultados para a técnica – como uma criança faz com os pais! "Papai, eu tentei, mas não consigo! Não consigo!" Discuta as técnicas mais tarde, depois de deixar claro o compromisso com os resultados.

Pessoas improdutivas, em um nível mais profundo, ainda não *querem* alcançar o resultado. Você precisa compreender isso, para não ficar louco tentando descobrir qual é o problema com elas. Elas não querem o resultado, querem o emprego. Querem a sua aprovação. Querem ser vistas como pessoas que "realmente se esforçam". Mas, no fundo, não querem o resultado. Essa é a verdade.

Gerentes verdadeiramente bons passam a maior parte do tempo ajudando os produtivos a passar de dez bolinhos para quinze. Eles gostam disso. São indivíduos criativos. Eles se alimentam das habilidades e do entusiasmo de seus funcionários produtivos. A equipe deles está sempre superando outras equipes. Por quê? Porque os gerentes das outras equipes foram hipnotizados pelos improdutivos. Estes se tornam bons vendedores vendendo a coisa errada – vendendo ao gerente o que há de pior: "*Não* existe causa e efeito... *não* existe garantia".

Simplifique. Enfoque os resultados. Você sempre obterá aquilo que enfocar. Se enfocar apenas as atividades, terá só isso... muitas atividades. Mas, se enfocar os resultados, é isso que obterá. Muitos, muitos resultados.

21. Crie um jogo

Embora algumas pessoas pensem que a vida é uma batalha, na verdade ela é um jogo de dar e receber.

– Florence Scovel Shinn, filósofa e escritora

Complete esta frase com a primeira palavra que lhe vier à cabeça: "A vida é um(a) _________".

Qual foi a primeira coisa que você pensou? (Esperamos que não tenha sido algo do tipo "A vida é uma m...".) Seja o que for, pode ter certeza de uma coisa: a vida parece exatamente isso para você agora.

Qual foi a sua resposta? Em uma pesquisa feita entre a gerência média, a resposta mais comum foi: "A vida é uma batalha". Entre executivos seniores, porém, a resposta mais comum foi: "A vida é um jogo".

Que versão da vida você escolheria, se pudesse?

Para ser o líder mais motivacional possível, talvez seja interessante mostrar ao seu pessoal que a vida, para você, é um jogo.

O que faz de qualquer atividade um jogo? É preciso haver um modo de marcar pontos e dizer às pessoas se elas estão ganhando ou perdendo, independentemente do possível resultado. Ela se torna, então, puro divertimento. Por isso, deixe claro que, embora possa incluir todo tipo de prêmio, o jogo em si é a diversão.

Como você pode incorporar isso em sua vida?

Chuck Coonradt, nosso amigo e mentor de longa data, é consultor administrativo e autor do *best-seller O jogo do trabalho.* Ele criou um sistema completo para transformar o trabalho num jogo.

Chuck lembra que, quando entrou para o ramo de supermercados, na seção de comida congelada, ele notava que os proprietários não mediam esforços para cuidar de seus funcionários. Estes tinham intervalo de hora em hora para se aquecer e recebiam um pagamento diferencial. Mas, por mais que os donos fizessem, os trabalhadores reclamavam muito do frio desconfortável.

"Entretanto, você poderia dar a esses mesmos funcionários um rifle de caça", disse Chuck, "e enviá-los a um lugar onde o clima fosse muito pior que na seção de congelados, e eles achariam divertido! Não seria preciso pagar nada a mais! Na verdade, eles mesmos seriam capazes de pagar por isso!"

O segredo para o trabalho ser divertido, como já nos ensinou Tom Sawyer* muitos anos atrás, é transformar o que a maioria das pessoas considera maçante, como pintar uma cerca, por exemplo, em um jogo.

Randy era um líder e cliente nosso cujos funcionários faltavam muito. Por meses ele tentou atacar e eliminar o problema. Por fim, percebeu que é sempre possível suavizar as coisas introduzindo o elemento lúdico.

Assim, Randy criou um jogo. (Os líderes criam, os gerentes reagem.) Era um jogo de cartas para beneficiar os empregados que tivessem índice perfeito de presença no mês. Os funcionários que não tivessem nenhuma falta tiravam aleatoriamente uma carta do baralho e a afixavam em sua estação de trabalho. No fim de seis meses, a pessoa com a melhor mão de pôquer

---

* Personagem do livro *As aventuras de Tom Sawyer*, de Mark Twain. (N. do E.)

ganhava um prêmio grande; o segundo e o terceiro colocados também ganhavam bons prêmios em dinheiro.

"O problema com faltas praticamente acabou", Randy se lembra. "Na verdade, tivemos problemas com pessoas doentes tentando trabalhar quando não deveriam. Acordavam com febre, por exemplo, e a mulher ou o marido dizia: 'Você vai ficar em casa hoje', e eles respondiam, 'Você está louca(o)? Tenho dois ases e duas rainhas, você acha que vou ficar em casa?'"

Depois de quatro anos vendendo pacotes de um programa de desenvolvimento gerencial, Chuck Coonradt fez aquela que seria a visita de venda mais importante de sua carreira.

Ele visitou o gerente de fábrica de uma empresa de casas pré-fabricadas. Durante a conversa, o gerente começou a usar a velha história dos "jovens de hoje" – os jovens de hoje não ligam, não trabalham, não têm os mesmos valores que eu tinha quando era da idade deles.

"Enquanto ele falava, olhávamos o chão de fábrica, do alto de um prédio comercial de noventa metros de altura", Chuck contou. "Ele apontou para os oitos jovens erguendo uma casa. 'O que você e o seu programa podem fazer quanto a isso?'"

Chuck observou o ritmo de trabalho deles e disse que "uma boa comparação seria com lesmas artríticas em cimento molhado. Os sujeitos iam devagar, quase parando, e pareciam quase sem forças! Ele havia me dado objeções para as quais eu não tinha resposta. Não sabia mesmo o que dizer".

Então, algo extraordinário ocorreu: a hora do almoço. Assim que soou a campainha do almoço, aqueles oito trabalhadores largaram seus martelos como se houvessem levado um choque, saíram em disparada como gado, quatro deles tirando a camisa, e correram os 45 metros da fábrica até a quadra de basquete.

A transformação motivacional era incrível! Chuck assistiu ao jogo, pasmo, por exatamente 42 minutos. Cada um deles sabia o que tinha de fazer na quadra, cumpria seu papel e apoiava o time com energia, envolvimento e entusiasmo – sem ninguém para dirigi-los. Eles sabiam como contribuir para o time do qual participavam, e gostavam disso.

Às 12h42 o jogo parou, eles pegaram as marmitas e os refrigerantes e começaram a voltar às estações de trabalho, onde, às treze horas, estavam de volta pontualmente – lesmas artríticas de volta ao cimento molhado.

Chuck se voltou para o gerente de fábrica e disse: "Não acho que o problema aqui seja a matéria-prima humana. Não há nada errado com a motivação daqueles jovens".

E naquele mesmo dia Chuck começou a bolar um jeito de transferir aquela energia, entusiasmo e envolvimento que ele viu na quadra de basquete para o trabalho no chão de fábrica. Seu sucesso nisso se tornou lendário no mundo empresarial.

"Agora nós identificamos a *motivação da recreação* e a levamos ao local de trabalho", diz Chuck. "A motivação da recreação inclui *feedback*, pontos a conquistar, definição de metas, treinamento consistente e escolha pessoal."

22. Saiba o seu propósito

Nada é mais inútil do que fazer com eficiência
algo que não devia ser feito.

– Peter Drucker

É difícil motivar os outros se você não tem tempo para conversar com eles. Poucas cenas são mais desestimulantes que um líder correndo sem direção, como uma galinha com a cabeça cortada – e sem tempo para encontrá-la.

Gerentes cujas equipes não têm o desempenho esperado estão simplesmente fazendo coisas ineficazes o dia inteiro. Em vez de parar e decidir qual seria a ação correta, eles fazem as coisas erradas com uma rapidez cada vez maior, ficando cada dia mais estressados por causa da "carga de trabalho". (Não existe "carga de trabalho" preocupante se você está fazendo a coisa certa. Só existe a coisa certa.)

Como o especialista em administração do tempo David Allen diz, ao descrever os líderes ocupados de hoje: "Você tem mais coisas para fazer do que pode dar conta. Você só precisa se sentir bem com suas escolhas".

O profissional multitarefa é o maior mito no mundo moderno dos negócios. A parte racional do cérebro não é multitarefa, portanto as pessoas tampouco o são. O sistema humano não é programado para isso. Ele se ocupa de um pensamento por vez.

É comum os gerentes *pensarem* que estão fazendo muitas tarefas ao mesmo tempo, quando, na realidade, estão apenas deixando algo malfeito e passando rapidamente para outra coisa, também malfeita. Não tarda até se preocuparem com todas as tarefas que tocaram, mas deixaram incompletas.

Como diz o especialista em eficiência empresarial Kerry Gleeson: "A preocupação constante e improdutiva com todas as coisas que temos de fazer é o elemento que mais consome tempo e energia". E essas não são as coisas que fazemos, mas as que deixamos de fazer.

As pessoas que têm prazer em liderar sabem como se descontrair no decorrer de um dia cheio de objetivos, orientado por metas e concentrado na atividade prioritária. A qualquer momento, se lembram de que podem ter a atenção dispersada, podem ser solicitadas, e problemas podem surgir. Mas sabem para onde retornar, porque sabem qual é o seu propósito. Porque o escolheram.

Esse é o tipo de líder que as pessoas admiram e seguem.

23. Veja o que é possível

Líderes extraordinários não medem esforços para levantar a auto-estima de sua equipe. Quando as pessoas acreditam em si mesmas, é surpreendente o que são capazes de fazer.

– Sam Walton

Uma das melhores maneiras de motivar os outros é aprender com aqueles que motivaram *você*. Aprenda com os grandes líderes que você já teve. Imite-os, seja um clone deles e incorpore-os naquilo que você é, o dia todo.

Scott Richardson relembra: O motivador mais eficaz e inspirador que já tive era um gênio do violino, que foi meu professor. Ele era professor associado de música na Universidade do Arizona e se chamava Rodney Mercado. Eu o conheci quando tinha 16 anos e estava quase desistindo de aprender violino. Minha mãe, que queria desesperadamente que eu fosse violinista, falou: "Agüente mais um pouco, vou arrumar o melhor professor para você". Eu não acreditava. Mas um dia ela chegou e me disse: "Encontrei. Ele é o professor do seu professor".

Quando fui conhecê-lo, tive que fazer uma audição para ele. Nunca precisara fazer uma audição para um professor antes. Geralmente, você paga o professor e ele lhe dá aulas. Mas Mercado escolhia cuidadosamente os seus alunos, assim como um bom líder escolhe os membros de sua equipe.

E fiz a pior audição da minha vida! Pensei: *Bem, acabou aqui. Não preciso me preocupar em tê-lo como meu professor.* Pouco depois, ele me telefonou e disse: "Eu aceito você". Pensei: *Deve ser um engano. Não pode ser verdade.* Eu havia tocado tão mal que não podia imaginar alguém me aceitando.

Mas ele tinha a habilidade de ver o que era possível nas pessoas. Se outra pessoa tivesse ouvido minha audição, teria dito que eu era um caso perdido. Mas ele ouviu mais que o som. Ele ouviu a possibilidade por trás do som.

E nisso ele foi um incrível *coach* e líder, pois um dos aspectos mais vitais da arte de motivar os outros é a capacidade de enxergar o que é possível, em vez de olhar só o que está acontecendo no momento.

Desde aquela época, aprendi a não desistir tão rápido das pessoas. Aprendi a olhar e escutar profundamente. Logo, habilidades e forças que nunca vira nas pessoas começavam a aparecer.

Aprendi que o desempenho das pessoas é uma reação ao que elas pensam que são para nós naquele momento. Em outras palavras, o modo como vemos os outros é o modo como eles desempenham. Quando criamos uma nova possibilidade para aqueles que estão à nossa volta e lhes comunicamos isso, seu desempenho pessoal ganha as alturas.

O professor Mercado me mostrou outro exemplo do poder de comunicar possibilidades com um garoto chamado Michael, que viria a ser um grande amigo meu.

Michael era incomum. No colégio, pelo que eu deduzia, ele nunca tinha cortado seus longos cabelos pretos, pois eram mais compridos que os de sua irmã. E os dela passavam da cintura. Michael sempre deixava o cabelo na frente do rosto, de modo que você não via como ele realmente era. E nunca dizia uma única palavra em público.

Seus pais perguntaram ao sr. Mercado se ele estaria disposto a ensinar Michael a tocar violino. O professor concordou, e as aulas começaram. Mas, para um observador externo, a aula era uma comunicação estritamente unilateral. Michael nunca tinha uma reação visível. Ele nunca sequer pegava o violino! O sr. Mercado, porém, continuava lhe dando aulas, semana após semana.

Um dia, quando estava na oitava série, Michael pegou o violino e começou a tocar. E, em menos de um mês, foi convidado para tocar solo diante da Sinfônica de Tucson!

Percebi que isso aconteceu porque o sr. Mercado comunicou a Michael (sem ter certeza se a comunicação estava sendo entendida) que para ele o garoto era um violinista genial!

A partir dessa experiência, sempre me lembro de que o desempenho das pessoas é uma reação àquilo que elas pensam que são para nós em determinado momento. Se criarmos para elas uma nova possibilidade e lhes comunicarmos que essa nova possibilidade é o que pensamos delas, seu desempenho melhorará instantaneamente.

Não existe maneira melhor de motivar outro ser humano.

24. Desfrute da arte do confronto

Comandar é servir, nada mais, nada menos.

– André Malraux, filósofo francês

Um dos truques que ensinamos para inspirar maior motivação é o que chamamos de "a arte do confronto".* É um método que mostra aos líderes como é agradável incentivar as pessoas a ser responsáveis.

A maioria dos gerentes acha impossível *gostar* de passar isso às pessoas. Acham que é a parte difícil do gerenciamento, um dos lados negativos – um mal necessário associado ao peso do comando. Você pode ver por que esses gerentes não conseguem incentivar as pessoas a ser responsáveis.

* Em inglês, *the ART of confrontation*. A sigla ART (*appreciate*/aprecie, *restate*/reafirme, *track*/reforce) forma a palavra *art*, que em português significa "arte". Sendo assim, a tradução literal do termo é "a arte do confronto" e a sigla passa a ser ARR. (N. do E.)

Felizmente, há uma maneira agradável de fazer isso.

Quando você precisa falar com um funcionário a respeito de determinado comportamento ou nível de desempenho inapropriados, experimente usar o ARR:

A: Primeiro, aprecie e reconheça o funcionário por quem ele é e o que faz pela organização, observando forças e talentos. Em seguida, dê um exemplo bastante específico e recente de algo que ele tenha feito que impressionou você e trouxe benefícios à empresa.

R: Depois, reafirme o seu compromisso com essa pessoa: "Acredito em você. Eu o contratei pelo que vi em você. Vejo agora ainda mais do que naquela época. Tenho um compromisso com o seu sucesso aqui. Dedico-me à sua carreira, a ver você feliz e realizado". Então, diga a esse funcionário, de forma exata e específica, aquilo que ele pode esperar de você sempre. Enumere as coisas que você faz, como batalha por um salário justo para ele, que está sempre disponível, se empenha em fornecer as ferramentas necessárias para o sucesso dele etc. Esse reconhecimento dá o contexto certo à conversa. Noventa por cento das "repreensões" por parte da gerência são destrutivas para o relacionamento gerente-empregado porque parecem vir fora de contexto. O panorama geral deve sempre ser estabelecido antes.

R: Por fim, reforce o acordo. A idéia é reforçar o acordo entre você e o funcionário quanto ao tema em questão. Se não houver um acordo, você deve criá-lo agora – um acordo de dupla autoria e respeito mútuo.

Acordos são criações conjuntas. Não são mandados nem regras. Quando um acordo não é cumprido, ambos os lados precisam colocar as cartas na mesa de maneira mutuamente encorajadora, com o intuito de remodelar o acordo ou criar outro.

Regras costumam ser quebradas, mas acordos costumam ser cumpridos.

25. Alimente seu ego saudável

Aprender a ser líder é o mesmo processo que aprender a se tornar uma pessoa integrada e saudável.

– Warren Bennis

A auto-estima é nosso direito inato. É o espírito vital dentro de nós. Não precisamos passar por uma bateria de testes humilhantes para obtê-la. Só temos de eliminar o tipo de pensamento que a contamina. Precisamos abrir caminho para ela e deixá-la brilhar, em nós mesmos e nos outros.

Uma liderança de mestre, sábia e vigorosa, pode despertar a melhor e mais alta expressão de auto-estima nas pessoas. Mas ela começa em casa. Se eu sou líder, a auto-estima começa com a minha própria autoconfiança. Nós, seres humanos, achamos mais fácil seguir pessoas autoconfiantes. Aderimos mais rapidamente a um projeto quando a pessoa que nos envolve é autoconfiante.

A maioria dos gerentes de hoje não se dá o trabalho de aumentar a própria auto-estima e de se centrar em seu orgulho pessoal de realização. Eles passam tempo demais se preocupando em como serão percebidos, o que resulta em insegurança e baixa auto-estima.

Nathaniel Branden, em seu poderoso livro *Auto-estima no trabalho*, diz:

> Uma pessoa que não se sente merecedora de realização e sucesso dificilmente consegue incitar grandes aspirações nos outros. Tampouco os líderes podem despertar o que há de melhor nos

outros se sua necessidade primária, surgida de suas inseguranças, é provar que estão certos e os outros errados. Nesse caso, seu relacionamento com os outros não é inspirador, e sim antagônico. *É um erro dizer que um grande líder não deve ter ego.* O líder precisa de um ego suficientemente saudável, que faça com que ele não sinta que está sendo julgado a cada contato – que não aja por ansiedade nem na defensiva –, de modo que possa ser livre para se orientar por tarefas e metas, e não por auto-engrandecimento ou autoproteção. O ego saudável pergunta: O que precisa ser feito? O ego inseguro pergunta: Como evito passar uma má impressão?

Desenvolva sua força interior, fazendo o que precisa ser feito e passando, em seguida, para a próxima tarefa a ser realizada. Quanto menos você se concentrar em como está sendo percebido, melhor você será percebido.

26. Contrate os motivados

O melhor executivo é aquele que tem o bom senso de escolher pessoas boas para fazer aquilo que ele quer e o discernimento para não se intrometer quando estiverem fazendo.

– Theodore Roosevelt

Parece tão simples. Mas a melhor maneira de ter pessoas motivadas em sua equipe é contratar pessoas já motivadas. Há muita coisa que você pode fazer para criar uma equipe assim. Comecemos com a entrevista inicial.

Saiba de antemão as perguntas que o entrevistado já imagina que vai ouvir e para as quais traz respostas prontas, encenadas. Reduza essas perguntas ao mínimo.

Faça, ao contrário, perguntas originais, cujo objetivo é descobrir a pessoa real por trás da encenação. Pergunte o inesperado. Deixe o entrevistado fora de equilíbrio, mas de maneira agradável. As pessoas boas, motivadas, vão adorar isso, já as desmotivadas vão ficar cada vez menos à vontade.

Saiba que todo entrevistado está, de certa forma, encenando, representando o papel da pessoa que ele imagina ser requisitada para o emprego. Todos nós fazemos isso em entrevistas. Mas a sua tarefa é não deixar isso acontecer.

Uma maneira de encontrar a verdadeira pessoa sentada à sua frente é fazer *perguntas sobrepostas*. Uma pergunta sobreposta é aberta, sendo acrescentada à pergunta anterior. Por exemplo:

Pergunta: Por que você saiu da empresa X?
Resposta: Não havia desafios suficientes.
Pergunta sobreposta: Interessante. Fale-me um pouco da empresa X. Como você se sentia lá?
Resposta: Era muito difícil. Não me sentia à vontade.
Pergunta sobreposta: Por que você se sentia dessa maneira?
Resposta: Meu chefe gostava de gerenciar tudo minuciosamente.
Pergunta sobreposta: Isso é muito interessante. Você pode me falar mais sobre isso?

Basicamente, "sobrepor perguntas" é pedir ao entrevistado que se aprofunde na conversa e não pare, que "fale mais" e "continue".

Esse tipo de entrevista mostra, depois de algum tempo, quem realmente é o entrevistado. O mesmo acontece com aquelas perguntas imprevistas, que não poderiam ter sido ensaiadas. Veja um exemplo de uma conversa bastante aberta e curiosa:

"Você nasceu e cresceu aqui?"
"Não. Cresci em Chicago."
"Chicago! Freqüentou a escola lá?"
"Sim. Estudei na Maine East High."
"Como era essa escola?"

Outro exemplo:

"Como foi o seu fim de semana?"

"Ótimo."

"Como é um fim de semana típico para você?"

Um outro:

"Vi no seu currículo que você se formou em engenharia."

"Sim."

"Se você pudesse mudar uma coisa na maneira de ensinar engenharia, o que mudaria?"

Outro:

"Se você fosse convidado para voltar e administrar a empresa da qual saiu, qual seria a primeira coisa que você faria?"

Pense em perguntas que você mesmo gosta e que lhe intrigam, e deixe o entrevistado velejar por águas desconhecidas durante toda a entrevista. Assim, você faz a pessoa real falar e obtém um conhecimento instintivo muito melhor sobre ela e sobre como seria trabalhar com ela.

A melhor maneira de criar uma equipe altamente motivada é contratar pessoas já motivadas.

27. Pare de falar

Uma medida da liderança é o calibre
das pessoas que escolhem seguir você.

– Dennis A. Peer, consultor administrativo

A maioria dos entrevistadores fala demais... e chega rápido demais à pergunta: "Há alguma coisa que você gostaria de saber sobre nós?"

Aprenda a não fazer mais isso. Não é uma boa técnica de entrevista, é apenas o seu ego se expressando. Aqueles que não fizeram a lição de casa e não são, portanto, entrevistadores magistrais, sempre acabam entrevistando a si próprios e falando de sua empresa.

Eles se sentem desconfortáveis fazendo muitas perguntas, por isso logo começam a falar da história da companhia, da história deles mesmos ali e de suas convicções e opiniões pessoais. E perdem tempo com isso. Em cinco meses, estarão se contorcendo e arrancando os cabelos porque seu radar não captou um empregado problemático e que só reclama.

Lembre-se: não fale. A sua tarefa é intuir o nível motivacional da pessoa que está sendo entrevistada. Você só pode fazer isso deixando-a responder uma pergunta atrás da outra.

É preciso ter mais coragem, imaginação e preparação para fazer um número implacável de perguntas do que para bater papo com o entrevistado. Mas grandes líderes são grandes recrutadores, no esporte e na vida. Como líder, você é tão bom quanto o seu pessoal. Contrate os melhores.

Dale Dauten, freqüentemente chamado de Obi-Wan Kenobi* da consultoria empresarial, diz: "Quando fiz a pesquisa que me levou a escrever o livro *The Gifted Boss,* percebi que os grandes chefes passam pouco tempo tentando moldar a grandeza de seus funcionários, mas dedicam esforços extraordinários para detectar e incentivar funcionários excepcionalmente capazes. No fim das contas, o melhor gerenciamento consiste em encontrar pessoas que não precisam de gerenciamento".

---

* Referência ao personagem de *Guerra nas estrelas* Obi-Wan Kenobi, *Jedi* mentor de outros *Jedi.* (N. do T.)

28. Não acredite nas limitações deles

Líderes não criam seguidores, criam outros líderes.

– Tom Peters

Os seus funcionários se limitam o tempo todo. Levantam falsas barreiras e enfrentam problemas imaginários.

Uma de suas habilidades como líder é mostrar ao seu pessoal que eles são capazes de realizar mais do que pensam. Na verdade, um dia eles poderão ser líderes como você. E um dos motivos pelos quais seus funcionários o admiram é o fato de você sempre ver o potencial deles. Você sempre vê o melhor de cada um e comenta isso com eles.

É possível que você seja a *primeira* pessoa que acredita naquele funcionário. E, por sua causa, ele se torna mais capaz do que se julgava e o ama por isso, embora sua confiança nele o deixe desconfortável de vez em quando. Esse desconforto pode retornar sempre que você lhe pedir que dê um passo adiante. Mas você não se importa. Insiste em acreditar nele e o pressiona para que cresça.

Um dos grandes gurus da liderança administrativa nos Estados Unidos foi Robert Greenleaf. Ele desenvolveu o conceito de "líder servidor". O líder é aquele que serve aos que o seguem, servindo-lhes a cada passo do caminho, despertando o que há de melhor neles e *se recusando a acreditar* em suas limitações como realizadores.

Seus funcionários podem ter falhas como pessoas, mas como realizadores certamente não têm.

Greenleaf dizia: "Qualquer um poderia liderar pessoas perfeitas – se elas existissem. Mas não existem pessoas perfeitas. E pais que tentam criar filhos perfeitos acabam criando neuróticos. Parte do enigma da natureza humana é que a pessoa 'típica' – imatura, hesitante, inepta, preguiçosa – é capaz de grande dedicação e heroísmo se tiver um líder sábio. O segredo para montar uma equipe é ser capaz de juntar pessoas e ajudá-las a alcançar alturas que elas não alcançariam de outra forma".

29. Banque o policial bom e o policial mau

Se as suas ações inspiram os outros a sonhar mais, aprender mais, fazer mais e se tornar mais, então você é um líder.

– John Quincy Adams

Se você é um motivador eficiente, então sabe como bancar o "policial bom" e o "policial mau". E sabe que não precisa de duas pessoas para brincar disso. O verdadeiro motivador interpreta os dois papéis.

Policial bom: atencioso, mentor, *coach*, serve e apóia sua equipe o tempo todo. Sempre cumpre sua palavra. Remove os obstáculos que impedem o sucesso. Elogia e reconhece. Lidera o grupo por meio do reforço positivo do comportamento desejado, porque você é um verdadeiro líder que sabe que receberá de volta aquilo que você recompensar.

Policial mau: ruim feito cobra. Não aceita que as pessoas deixem de cumprir as promessas que lhe fizeram, mesmo em relação ao desempenho. Não aceita reclamações e desculpas como justificativa para evitar conversas sobre promessas que não foram cumpridas. Não tem respeito pelos chorões nem por pessoas que não atingem seus números. Não dá espaço para os preguiçosos. Clareza, convicção, determinação. Todas as cartas na mesa. Nada de mensagens ocultas. Seu rosto diz: "Acredito em você. Sei do que é capaz. O motivo de você existir, na minha vida, é cumprir essa tarefa".

Obviamente, você não deve invocar o policial mau com muita freqüência, só depois que as armas do policial bom se esgotarem. O policial mau pode ser um excelente alerta para uma pessoa que nunca foi desafiada a dar o melhor de si. E, quando acabar a sessão do policial mau e a pessoa estiver de volta ao jogo, fazendo um bom esforço, traga o policial bom de volta para completar o processo.

30. Não enlouqueça

Quanto mais velho eu fico, mais sabedoria encontro na antiga regra de fazer o mais importante primeiro – um processo que costuma reduzir o mais complexo problema humano a uma proporção controlável.

– Dwight D. Eisenhower

Quando penso em sete coisas de uma vez, tento guardar todas elas na mente e, ao mesmo tempo, escutar o que você me diz, mas não consigo porque acabei de me lembrar de mais três coisas que preciso fazer quando você sair, o que, a propósito, espero que seja logo.

Enquanto você fala comigo, olho umas duas vezes no relógio, porque mentalmente estou na corrida, e eu sou um corredor de primeira, fazendo um milhão de coisas, mas o que não consigo perceber é que meu frágil relacionamento com você está sendo destruído por causa desse meu jeito. Está sendo destruído aos poucos, pois a principal mensagem que envio a você e a todos os outros membros da minha equipe é que estou muito estressado e que *isso aqui é uma loucura.*

Até à minha família eu digo: "Isso é uma loucura. Eu quero passar mais tempo com vocês, mas está tudo muito louco agora. É uma loucura lá no trabalho".

Bem, não é uma loucura. *Você* é que está louco. Você precisa ser honesto quanto a isso. *Não é* uma loucura, é apenas trabalho. É só uma empresa.

Gerentes do tipo "isso-aqui-é-uma-loucura" vivem jogando as mãos para o ar, dizendo: "O quê? Ela vai embora? Por quê? Está se demitindo? Não se pode mais confiar nas pessoas hoje em dia. Chame-a aqui. Precisamos evitar isso. Cancele minhas reuniões, cancele meus telefonemas. Quero saber por que ela está pedindo demissão".

Ela está pedindo demissão por este motivo: você falou com ela por no máximo três minutos em qualquer conversa no último ano. Talvez tenha falado com ela 365 dias, mas por não mais de três minutos. Não houve um relacionamento profissional, houve só um palavrório inútil.

Quer o gerente goste, quer não, criar bons relacionamentos permite o desenvolvimento de carreiras, de negócios e de equipes de trabalho.

De modo geral, as pessoas que admiram ou, de maneira um pouco assustada, "respeitam" seus gerentes multitarefa admitem que se sentem menos seguras por causa de toda essa "loucura".

Quando se reúnem com o gerente, ele sempre lhes diz: "Vamos lá, sei que você precisa falar comigo. Entre aí, preciso atender esse telefonema. Isso aqui é uma loucura. Tenho uma reunião daqui a dois minutos e estou esperando um *e-mail*, então me desculpe se eu desviar a atenção por causa disso, mas fique aí. Eu sei que você quer me dizer alguma coisa. Por favor, fale comigo... ah, com licença".

Quando conseguimos fazer com que os gerentes desacelerem e se concentrem em cada conversa do dia, eles se surpreendem. Quando conseguem fazer isso por uma semana, eles nos ligam e dizem: "Por incrível que pareça, houve melhor entendimento com meu pessoal esta semana do que em todas as semanas que já passei nesta empresa".

Para eles é algo inacreditável, pois, quando desaceleram e observam a próxima tarefa urgente, percebem que *há sempre alguém que adoraria se encarregar dessa tarefa.* Não só isso, mas há sempre alguém que se sentiria *lisonjeado* por executar tal tarefa. "As pessoas gostam de sentir que deposito confiança nelas, quando lhes peço que se encarreguem disso e que façam um bom trabalho, porque gosto do modo como trabalham."

Há muitas coisas que podem ser delegadas e passadas aos outros, mas apenas se você recuperar sua sanidade e desacelerar. Uma das melhores maneiras de motivar os outros é lhes dar coisas mais interessantes para fazer. Principalmente atividades que liberem mais tempo para você – tempo que você pode usar para construir uma equipe motivada.

31. Pare de afagar

Eu nunca lhes causei um inferno.
Apenas digo a verdade e eles pensam que é o inferno.
– Harry Truman

Inconscientemente, gerentes sem hábitos de liderança procuram, acima de tudo, ser amados. Em vez de tornar as pessoas responsáveis, eles fazem vistas grossas. Dão aos indivíduos improdutivos a impressão irreal de que está tudo bem. São gerentes que buscam aprovação em vez de respeito.

Mas esse hábito tem uma conseqüência grave: gera falta de confiança no ambiente de trabalho, o problema mais citado em levantamentos feitos entre funcionários.

O verdadeiro líder não se concentra em ser amado acima de tudo. Ele se concentra nas práticas e comunicações que o levam a ser *respeitado.* Essa é uma meta completamente diferente, que gera resultados completamente diferentes. (Eu não sou motivado por você porque gosto de você; sou motivado por você porque o respeito.)

A pergunta vital que o líder deve fazer é: "Se eu fosse gerente de mim mesmo, o que eu mais precisaria de meu líder agora?" A resposta a essa pergunta varia, mas as mais comuns são:

1. Da verdade, assim que você souber a verdade.
2. De total comunicação sobre o que está acontecendo comigo e conosco.
3. De todas as promessas cumpridas, principalmente as pequenas ("Eu lhe dou um retorno amanhã"), sistematicamente, até mesmo fanaticamente. Não apenas algumas promessas, não uma alta porcentagem de promessas, não uma boa tentativa, mas todas as promessas. Quando uma promessa não puder ser cumprida (principalmente se for pequena), um pedido de desculpas atualizado deve ser feito imediatamente.

O verdadeiro líder não tenta se tornar o camarada da equipe, embora valorize a descontração e a animação nas conversas.

Além disso, ele não tem a preocupação de ser sempre amado e está disposto até mesmo a ter conversas bastante desagradáveis em nome da franqueza e da clareza. O verdadeiro líder vê esse aspecto da liderança em termos muito sérios e maduros e não tenta subestimar sua responsabilidade pela liderança. O verdadeiro líder não tenta formar amizades particulares inapropriadas com membros da equipe que ele é pago para liderar. Ele aprecia os elementos da responsabilidade e transforma a medida do desempenho e o gerenciamento em uma franca aventura empresarial.

32. Faça o pior primeiro

O melhor jeito de sair é sempre atravessar.
– Robert Frost

O assunto número 1 que os líderes nos pedem para abordar hoje em dia é: Como motivar os outros quando você não consegue administrar seu tempo? Era o caso de Carlos, chefe de uma equipe de corretores.

Ele disse: "Com tudo caindo em cima de mim, um monte de coisas chegando, tantos telefonemas para atender, todas as obrigações que eu tenho que cumprir, tudo que tenho para produzir em um único dia, eu precisaria de mais umas dez horas por dia".

Nós rimos. "Isso acontece com todo mundo, Carlos. Pare de achar que você é o único. Faça um novo planejamento e tenha foco. Reinicie sua mente e comece de novo."

Todas as pessoas que atuam no mercado globalizado de hoje têm mais coisas a fazer do que tempo para fazê-las. Isso não é um problema. É um fato interessante da vida.

"Mas não dá para evitar a impressão de que você está sufocado", Carlos disse. "Não dá para evitar a sensação de vítima, de estar 'atolado'."

"É verdade. Por isso, se reorganize e observe tudo a três mil metros de altura. Levante-se. Erga-se!"

"Mas a verdade é que *estou* mesmo atolado", Carlos quase gritou. "Não posso fazer nada. Estou sufocado. Como alguém pode gerenciar uma equipe quando tem tanta coisa para fazer? E, quando você acha que está fazendo algum progresso, vem um telefonema, um *e-mail*, mais uma solicitação, outro programa que precisa ser implementado, outro formulário a ser preenchido, e me vejo levantando os braços e dizendo: 'Como vou fazer isso?'"

"Carlos, ouça. Acalme-se. O sistema mais simples que você conseguir desenvolver para administrar o tempo servirá para você como líder. Mantenha-o simples."

"Por que tem que ser simples?", ele perguntou. "Parece que preciso de uma solução complexa para uma série complexa de desafios."

"Porque, não importa o que você faça, não pode impedir esta verdade acerca da liderança: você vai ser solicitado, vai encontrar obstáculos e vai ser interrompido. E há duas reações possíveis que você pode escolher ao lidar com esse fato da vida de um líder."

Carlos ficou quieto.

"Você pode se tornar uma vítima e dizer: 'Não sei lidar com isso, é muita coisa'. Isso não requer imaginação nem coragem e é a saída mais fácil: reclamar da situação. Talvez até se queixar a outras pessoas, outros líderes, outros gerentes, membros da família. Essas pessoas vão balançar a cabeça e por fim dizer: 'Você tem que sair desse negócio'."

Carlos começou a assentir com a cabeça. "Isso acontece", disse. "Mas não me ajuda a gostar do meu trabalho ter amigos e parentes dizendo que eu deveria pedir demissão. Só deixa as coisas muito mais difíceis."

"Exato! Mas há outra maneira de reagir, que consiste em administrar o tempo da maneira mais simples possível. É o caminho que recomendamos e que tem sido benéfico para a maioria dos líderes. É tão simples que você pode resumir em três palavras, se precisar: *o pior primeiro*!"

Nós trabalhamos com Carlos por muito tempo até fazê-lo ver que a melhor maneira de administrar o tempo é não pensar em administrar o tempo, e sim em administrar *prioridades*. Pois não se pode de fato "administrar o tempo". Não se pode acrescentar mais tempo ao dia. Mas você *pode* administrar as prioridades e as coisas que escolhe fazer.

"O pior primeiro", repetiu Carlos. "O que isso significa?"

"Escreva num papel todas as coisas que você gostaria de fazer em seu próximo dia de trabalho. Talvez você tenha anotado algumas coisas nos últimos dias, mas agora são aquelas que você sabe que tem que fazer. A lista não precisa ser perfeita. Pode incluir todo tipo de abreviação, desenhos e sinais, tudo rabiscado numa folha de papel. E então você *escolhe*, entre todas essas coisas, aquela que for a mais desafiadora e importante."

"Como eu posso saber com certeza qual é essa coisa? E como isso vai melhorar a motivação de meus funcionários? Essa não é a sua especialidade?"

"É, sim, mas, enquanto você não dominar isso, não conseguirá motivar as pessoas. Você tem de partir de um lugar sólido, um lugar organizado dentro de si mesmo."

"Tudo bem, tudo bem, sei disso. Mas como vou escolher a coisa na qual devo me concentrar?"

"Qual é *aquela coisa* que você mais gostaria de adiar? Qual é a coisa mais importante que você precisa fazer, aquela que tem de ser feita custe o que custar – não necessariamente a mais urgente, mas a mais importante?"

"Ah", disse Carlos, "acho que estou entendendo. Aquela tarefa que me dói só de pensar. Então, é ela que devo escolher para fazer primeiro."

"É isso mesmo."

A maioria dos gerentes é como Carlos. Eles não têm um sistema simples, apenas respondem ao que é mais urgente. O dia todo, ficam se perguntando: "O que precisa a todo custo ser feito agora?" E boa parte do tempo, as coisas urgentes que surgem como resposta a essa pergunta são muito pequenas. Coisinhas chatas, detalhes inconvenientes.

"Mas as coisas pequenas também não precisam ser feitas?", Carlos perguntou.

"Sim, precisam. Mas, enquanto as faz, você vai deixando as importantes para trás. Muitas vezes, é mais útil desligar o telefone, não checar os *e-mails*, escolher algo realmente importante e cuidar disso até terminar, suspendendo por ora as urgências."

"Sei de uma coisa que está sempre me corroendo, lá no fundo da minha mente", Carlos disse. "Sempre vem à tona, me fazendo lembrar o tempo todo dela. Atrapalha-me em todas as tarefas que estou realizando."

"Agora você está na pista certa, Carlos! Você não consegue se concentrar de maneira descontraída e animada nas coisas que está fazendo porque, no fundo de sua mente, essa coisa importante ainda está lá. Quando você vai para casa à noite, aquilo que mais o deixa esgotado e lhe dá a sensação de que o dia foi ruim é justamente o que não fez, mas gostaria de ter feito."

"Certo. Puxa, como eu conheço isso!"

"Isso é o que entra na categoria 'o pior primeiro'. Você deve cuidar daquilo que é mais difícil de fazer, que adoraria terminar logo e se livrar. Essa coisa deve ser a *número 1*. Prioridade máxima. Nada será feito enquanto ela não for finalizada."

As semanas foram passando e Carlos lutou com o sistema, mas, depois de muita prática, finalmente pegou o jeito. Quando ele conseguiu tornar o sistema do "pior primeiro" um hábito, sentiu uma liberdade que nunca havia experimentado antes. As pessoas à sua volta se sentiam inspiradas pelo modo como ele se sentia livre todos os dias, após ter executado a tarefa mais difícil primeiro. Carlos lidava primeiro com a maior obrigação, tratando-a como prioridade número 1, e depois o resto do dia fluía fácil. Sua energia cresceu. Logo ele estava ensinando aos outros o mesmo sistema.

Alguns meses depois, ele nos ligou para nos contar sobre sua nova vida centrada como líder.

"Sinto-me realmente livre com esse sistema", disse Carlos. "Se alguém me pede: 'Você pode se reunir comigo para falarmos dessa questão?', e eu já executei a pior tarefa, digo: 'Claro, de quanto tempo você precisa? Vamos conversar'."

33. Aprenda a experimentar

Não seja tão tímido e melindroso quanto às suas ações.
A vida inteira é uma experiência.
Quanto mais experiências você fizer, melhor.
– Ralph Waldo Emerson

Uma das queixas mais comuns dos executivos de hoje é esta: as pessoas que eles supervisionam detestam fazer mudanças, embora isso seja constantemente exigido delas neste ambiente empresarial altamente competitivo. Os executivos arrancam os cabelos tentando implementar as mudanças necessárias.

Nossa resposta é que pode parecer difícil encorajar as pessoas a mudar, mas experimente esta possibilidade: as pessoas preferem não mudar, mas adoram experimentar.

Como observou o consultor empresarial e jornalista Dale Dauten: "A experimentação nunca falha. Quando você tenta algo que depois se mostra uma péssima idéia, você não volta realmente ao ponto inicial, pois aprende algo. Se nada mais lucrar, pelo menos a experiência lhe permite apreciar o que você estava fazendo antes. Por isso, penso que é verdadeira a afirmação de que as experiências nunca falham".

Assim, nas empresas onde damos *coaching*, nunca há mudanças. Entretanto, elas estão constantemente *experimentando* para descobrir o que funciona melhor para os funcionários, para os negócios e para o cliente. Os executivos simplesmente dizem às suas equipes: "Esta é uma experiência para ver se isso será melhor para vocês e para nossos clientes. Se for, ótimo, continuaremos fazendo. Se não for, nós a modificaremos ou simplesmente a descartaremos".

Se você monitorar a experiência e for atrás de *feedback*, perceberá que a antiga resistência à mudança se dissolve, porque seus funcionários gostam realmente de uma boa experiência.

34. Comunique-se conscientemente

Afogando-se em dados, mas faminto de informação.

– Ruth Stanat, consultora

Comunique-se conscientemente. Saiba como você está sendo ouvido.

Warren Bennis, autoridade em liderança, diz: "Bons líderes fazem as pessoas sentirem que estão no centro das coisas, não na periferia. Todas sentem que são importantes para o sucesso da organização. Quando isso acontece, as pessoas se sentem centradas, e isso dá sentido ao trabalho delas".

Nós vivemos na era da informação. Os seus funcionários usam a mente de forma criativa e produtiva o dia todo. Eles não estão cavando terra em uma vala. Para ganhar a vida, todos eles se comunicam.

Agora, mais do que nunca, a comunicação é o nosso sangue vital. É o sangue vital de toda organização. Muitas, porém, relegam a maior parte de sua comunicação ao acaso, ou ao "senso comum", ou a velhas tradições que não servem mais para informar e incluir todas as pessoas.

A comunicação é a fonte de confiança e respeito dentro de cada organização. Vamos, portanto, colocar todas as nossas cartas na mesa sempre que possível.

Quando aumentamos a nossa consciência em relação à comunicação, ela melhora. Quando assumimos plena responsabilidade pelo modo como nos comunicamos, a organização se aperfeiçoa.

35. Acompanhe o placar

O desempenho é a sua realidade. Esqueça todo o resto.

– Harold Geneen, CEO da ITT

Você pode se imaginar participando de um jogo sem saber como estão os pontos? Competir na frente de juízes, mas sem saber os critérios deles? E os juízes não pretendem lhe dizer como você se saiu ainda por muito tempo. Isso seria um verdadeiro pesadelo.

Nós participamos de uma reunião conduzida por Megan, que estava tendo muita dificuldade para motivar sua equipe a atingir as metas esperadas pela empresa.

"Como estamos indo exatamente, agora?", perguntou Clarence, um membro da equipe, sentado no extremo oposto da mesa redonda em volta da qual nos reuníamos.

"Ah, não sei, Clarence", disse Megan. "Não examinei os dados impressos. Tenho a impressão de que estamos bem este mês, mas ainda não vi os números."

Vimos a expressão no rosto de Clarence. Era um misto de decepção e dor.

Mais tarde, nos reunimos com Megan e explicamos que ela teria de mudar sua abordagem imediatamente, se quisesse motivar Clarence e seus colegas de equipe. Ela tinha que saber o placar.

"Não gosto de números", Megan disse. "Jamais gostei. Não sou uma pessoa de números."

"Goste ou não de números, se você ocupa uma posição de chefia, é sua obrigação *ser* a pessoa dos números para a sua equipe. Você não vai conseguir ter uma equipe motivada aqui, Megan, enquanto não fizer a sua lição de casa, olhar para os números e *falar sobre eles* quando conversar com seus funcionários. Se você é a treinadora deles – e é –, então precisa falar do jogo e do placar."

"Bem, joguei um pouco de basquete na escola", Megan disse. "Talvez possa fazer alguma associação."

"Pense no técnico do seu time durante um jogo. O time é chamado fora de campo, a partida já está adiantada, e o técnico diz: 'Faz algum tempo que não olho o placar, então não sei se estamos ganhando ou perdendo. Enfim, vamos falar de algumas jogadas que podemos fazer depois do intervalo'."

Megan sorriu e disse: "Eu não teria a menor confiança num técnico assim!"

"Por que não?"

Ela não respondeu.

"Será que você não é esse técnico, Megan?"

Ela disse: "Acho que entendo o que você está dizendo. Meus melhores técnicos eram pessoas que recompensavam pelos números e se animavam."

"Certo! Os grandes líderes são assim também. Reúnem a equipe e dizem: 'Olhem, acabei de ver seus resultados da semana passada. Puxa, são melhores que os números do ano todo!' Esses são os líderes que as pessoas adoram seguir, porque eles sempre sabem se estão ganhando ou perdendo. Sempre sabem o placar."

Nós lembramos Megan de que, no início da reunião com os membros de sua equipe, ela havia dito: "Bem, sei que vocês estão tentando com afinco e sei que estão se esforçando. Passei de carro por aqui ontem à noite e vi as luzes acesas, por isso os admiro pelo que estão fazendo. Estão tentando, mesmo". Então lhe dissemos que aquela abordagem estava errada.

"Mas errada por quê?", Megan perguntou.

"Está errada porque o respeito pela realização foi substituído pelo respeito por 'tentar'. Megan, dizemos que uma pessoa está perdida quando ela não sabe o que está acontecendo à sua volta. Quando não sabe o placar do jogo, você está perdida. Saber o placar é o primeiro passo para a realização."

Queríamos que Megan entendesse que seu erro podia ser imediatamente corrigido. Era o erro básico de não observar os números antes de enviar um *e-mail* ou fazer um telefonema. Mas esse pequeno erro dá à equipe a impressão de que não estão ali com o propósito de vencer nem de alcançar metas específicas.

O papel do técnico é explicar à equipe, de forma muito precisa, como está o placar, quanto tempo ainda falta e qual é a estratégia baseada nesses números. Quando você tem uma equipe que trabalha com base em números, você sabe quando está ganhando, sabe quando o dia foi ruim, quando as coisas estão indo bem e quando não estão.

Isso cria uma excelente impressão de que o líder não está guardando segredos. Por isso, quando você comunicar algo ao seu pessoal, tente melhorar o modo como os números são mensurados e, principalmente, aumentar a conscientização sobre essa mensuração.

Mas tudo tem de partir de você. Não espere que as políticas empresariais mudem. A maioria das pessoas faz isto: espera a gerência apresentar algum sistema novo, um novo registro de números, uma nova forma de gráfico e outras coisas desse tipo. Não faça isso. Não espere. Tome a iniciativa.

Encontrar novos meios de acompanhar o placar tem que ser a *sua inovação pessoal*. Assim, as pessoas vão associar essa inovação a você e saber como isso lhe é importante. Há alguma coisa que você quer melhorar? Defina o quê, e acompanhe o placar. O amor pelo jogo, inerente a todos os seres humanos, é algo que você pode explorar. Quanto mais você mensurar as coisas, mas motivada ficará a sua equipe para fazer o que é mensurado.

36. Gerencie o fundamental primeiro

Mostre-me um homem que não dá atenção às coisas pequenas, e eu lhe mostrarei um homem que não merece confiança para fazer coisas grandes.

– Lawrence D. Bell, fundador da Bell Aircraft

Os métodos motivacionais de Rodney Mercado são os mais eficazes não apenas para ensinar música, mas para tudo.

Mercado era um gênio em dez áreas diferentes, incluindo matemática, economia, sociologia, antropologia e história da música.

Scott relembra: Certa vez, surpreendi-me ao ter uma aula de economia dentro da minha lição de música. Mercado se virou para mim e disse: "Bem, Scott, você sabe, matemática é muito simples. Ela se baseia totalmente na adição. Mas a maioria das pessoas não vê isso. Se você aprender que um mais um é igual a dois, tudo na matemática fluirá a partir daí. Tudo".

Ele sempre enfocava o fundamental.

Como uma vez em que foi auxiliar nosso grupo de câmara a se preparar para apresentar uma peça. Sob a orientação dele, passamos uma hora inteira trabalhando nos dois primeiros compassos da peça. Víamos e revíamos tudo, e cada vez ele nos pedia que explorássemos uma nova possibilidade.

"Que tal vocês criarem mais som aqui?", ele perguntava. E, em seguida, nos dava idéias de como fazer isso. Ao fim de uma hora, tínhamos trabalhado em dois compassos de uma peça que provavelmente tinha oitenta. Bem no fim, ele disse: "Certo, agora vamos tocar a peça inteira".

O desempenho do grupo se transformara. Tocamos lindamente toda a peça musical!

Aquilo me mostrou o poder do fundamental. Nunca o subestime. Ajude o seu pessoal a desacelerar e fazer as coisas passo a passo, acertando o básico, colocando os elementos fundamentais no lugar.

Recentemente, assessoramos um cliente em uma reunião dos gerentes de sua empresa, e duas pessoas chegaram atrasadas. O CEO queria apressar a reunião e conversar com as pessoas que se atrasaram depois.

Mas nós o desaceleramos e fizemos todo o grupo se concentrar, de forma lenta e fundamental, em como lidar com os atrasos e ausências e com a falta de comprometimento desses dois gerentes. Nesse processo, tivemos vários avanços importantes quanto à natureza do compromisso, e dali surgiu uma política nova e mais criativa em relação a isso.

37. Motive fazendo

As pessoas podem ser divididas em duas classes, aquelas que vão em frente e fazem algo e aquelas que se sentam e perguntam: Por que isso não foi feito de outra maneira?

– Oliver Wendell Holmes

A maioria dos gerentes não faz as coisas na ordem de prioridade que eles mesmos, racionalmente, estabeleceram. Fazem as coisas de acordo com os sentimentos. É assim que passam o dia. (É exatamente assim, aliás, que vivem os bebês. Eles passam de um sentimento para outro. Estão com vontade de chorar? Estão com vontade de rir? Estão com vontade de babar? Essa é a vida de um bebê.)

Os gerentes profissionais se classificam em duas categorias: executores e sentimentais.

Os executores fazem o que deve ser feito para alcançar metas estabelecidas por eles mesmos. Os sentimentais, por outro lado, se deixam levar por sua temperatura emocional o dia todo, checando sempre os próprios sentimentos e tentando descobrir o que gostariam de fazer no momento. Sua vida, seus resultados, sua segurança financeira são ditados pela flutuação de seus sentimentos. Estes mudam constantemente, claro, por isso é difícil para esse tipo de gerente seguir alguma coisa até o fim, até uma conclusão bem-sucedida. Seus sentimentos são alterados por uma série de fatores: biorritmo, distúrbios gástricos, um café forte, um telefonema perturbador de casa, uma garçonete rude no almoço, um resfriado, uma leve dor de cabeça. Essas são forças determinantes que comandam a vida de um gerente sentimental.

Já o executor sabe de antemão quanto tempo pode passar ao telefone, quanto tempo passará em visitas, que funcionários devem ser cultivados aquele dia, que relacionamentos devem ser fortalecidos e que comunicados devem ser feitos. Executores usam um sistema de três passos para garantir o sucesso:

1. Determinam o que querem alcançar.
2. Determinam o que precisa ser feito para alcançá-lo.
3. Fazem o que é preciso.

Isso não é uma teoria, e sim um sistema real, usado por todos os super-realizadores, sem jamais falhar.

O gerente sentimental está à deriva, perdido em uma vida misteriosa de conseqüências inesperadas e problemas deprimentes. Ele pergunta: "Será que quero dar aqueles telefonemas agora?" "Será que eu gostaria de escrever uma nota de agradecimento?" "Eu quero ver aquela pessoa em sua sala agora?" Se a resposta for "não", ele continua perguntando: "Será que eu quero fazer alguma outra coisa?" Um gerente movido por sentimentos vive nessa linha de indagações o dia todo.

Em contraste, o gerente executor tem grande auto-estima. Desfruta muitos momentos de satisfação o dia todo, ainda que alguns sejam precedidos por certo desconforto. O gerente sentimental está quase sempre confortável, mas nunca satisfeito. O executor conhece a verdadeira e profunda alegria dos super-realizadores. O outro crê que alegria é coisa de criança e que a vida de adulto é um aborrecimento contínuo. O executor experimenta cada vez mais poder, a cada ano de sua vida. O outro se sente a cada ano menos potente.

A sua habilidade para motivar os outros aumenta exponencialmente à medida que a sua reputação de executor aumenta.

Além disso, você percebe com maior clareza quem são os executores e os sentimentais em sua equipe. E então, modelando e recompensando a ação, você começa a inspirar os membros sentimentais de sua equipe a se tornar executores.

38. Conheça as forças de sua equipe

Aqueles poucos que usam suas forças para incorporar suas fraquezas, que não se dividem, são indivíduos raros. Em cada geração, existem alguns deles, e são os líderes de sua geração.

– Moshé Feldenkrais, psicólogo

Conheça as forças de sua equipe.

Foi esse fundamental *insight* empresarial que inspirou o livro *Empresas feitas para vencer*, de Jim Collins. E a idéia de ir do bom ao ótimo* também se aplica às pessoas motivadas por você. É muito mais produtivo construir a partir das forças delas que se preocupar demais com as fraquezas. O primeiro passo é realmente *conhecer* as forças de seu pessoal, para ajudá-los a se expressar melhor.

A maioria dos gerentes, principalmente na área de vendas, passa tempo demais tentando consertar o que está errado.

O seu pessoal pode identificar as coisas negativas e dizer: "Ah, não sou bom nisso. Preciso mudar isso. E não sou muito bom ao telefone. Isso é algo que preciso consertar..." Mas preste atenção no tom de voz das pessoas quando dizem essas coisas! Parecem deprimidas e cansadas da vida.

Eis uma fórmula simples (que, uma vez reconhecida, pode fazer maravilhas): se as pessoas se concentram no que têm de errado, *só se concentrar nisso* já as deixa com má disposição. Com

* Do título original em inglês, *Good to Great.* (N. do E.)

raiva e tristeza, as pessoas encaram seus erros com uma espécie de honestidade doentia. E o tom de voz cai, porque o entusiasmo cai e a melancolia se manifesta. Logo elas começam a adiar atividades. Deixam tudo para depois. Dizem: "Isso me deixa desconfortável. Não gosto nem de pensar nisso. Por algum motivo (não sei por quê, mas eu estava bem antes de começar...), não estou disposto a trabalhar nisso agora. Não consigo lidar com esse problema enquanto não tiver um pouco mais de energia. Claro, não dá para trabalhar em uma coisa quando a gente não tem energia".

Fomos a uma empresa de computadores e ouvimos Matt, o gerente, falar de sua equipe. "Gostaria que meus vendedores fizessem mais pesquisas antes de vender", ele disse.

Em seguida, quando nos sentamos com um dos vendedores, Byron, ele disse: "Pois é, não sou muito bom nisso mesmo".

"Certo, você não é muito bom nisso. Vamos prosseguir."

"Não, não, preciso consertar isso", disse Byron. "É uma coisa que precisa mudar. Eu tenho que melhorar. Por que vocês não me instruem? Como posso melhorar nisso?"

Percebíamos seu baixo tom de voz. Sabíamos que Byron nunca melhoraria naquilo, por causa da disposição mental negativa que o assunto lhe provocava.

Para realmente absorver algo, crescer e se fortalecer, as pessoas precisam entrar em um astral positivo, otimista. Precisam ter energia. Só assim conseguem dar o melhor de si.

"Bem, quando o meu pessoal vai ter energia?", Matt nos perguntou após lhe explicarmos o conceito da disposição.

"Eles terão energia quando pensarem nas coisas em que são bons na área de vendas. Oriente-os a perguntarem a si mesmos: 'No que sou bom? Quais são as minhas forças?' Assim que começarem a se concentrar nessas coisas, terão muito mais energia. A auto-estima de cada um crescerá. O entusiasmo crescerá."

É daí que vem a mais rápida injeção de produtividade. Primeiro você descobre em que a pessoa é boa, depois trabalha para o bom virar ótimo.

Quando trabalhamos com Byron, vendedor de Matt, dissemos: "Pois bem, Byron, esqueça as suas fraquezas, esqueça aquilo em que você não é bom. Provavelmente você só tem pensado nisso nestes últimos meses, não é?"

"Exato", ele confirmou. "Sabe, meu gerente me aconselha nesse aspecto. Já anotei algumas instruções. Ele me dá atividades para corrigir isso. Mas o problema é que não tenho a energia que preciso para tomar alguma providência, por isso só afundo mais e não produzo."

"Ouça, Byron, deixe de lado essas atividades. Esqueça todos os problemas que precisam ser consertados. Não vamos consertar nada agora. Queremos uma injeção, um estímulo. Queremos um pico de vendas para tirar você do porão e colocá-lo onde você merece estar: no ápice do *ranking* de vendas. Depois, quando você chegar ao topo e ficarmos entediados, sem saber o que mais fazer nas sessões de *coaching*, poderemos pegar uma fraqueza e brincar com ela, só por diversão. Mas, por enquanto, não vamos fazer isso. Eis o que faremos: vamos admitir que *você não vai ser ótimo em coisa alguma se não gostar dela.* Vamos descobrir em que você já é bom e trabalhar com isso."

"Bem, um de meus pontos fortes é conversar pessoalmente", disse Byron. "Adoro tratar pessoalmente das coisas. Sou ruim ao telefone. Sou ruim com fax. Sou ruim com *e-mails.* Mas, pessoalmente, fecho qualquer negócio. Sei falar, valorizar o produto, vender algo a mais...."

"Que bom, isso é ótimo. Então, em vez de corrigir o problema do telefone e do *e-mail*, vamos deixá-los de lado por enquanto. Só os use para marcar algum compromisso. Não use o telefone nem o *e-mail* para vender nada. Queremos incrementar aquilo em que você já é bom. Vá pessoalmente, sente-se com as pessoas. Desenvolva essa habilidade e vá melhorando cada vez mais. Não diga 'Já sou bom nisso, não dá para melhorar'. Claro que você é bom nisso. Mas você pode se tornar formidável nessa área se converter o que é bom em *ótimo*, pois já percorreu mais de dois terços do caminho. Você já é bom nisso."

Queríamos, na verdade, desviar Byron do seguinte pensamento: *Bem, já sou bom nisso, é algo natural para mim. Estou trapaceando se usar demais o que já sei. Preciso, isso sim, trabalhar naquilo em que não sou bom.*

Para sermos excelentes motivadores, precisamos olhar o comportamento humano por outro prisma. Desde jovens, aprendemos o caminho errado! Se tirávamos nota máxima em ciências, mas repetíamos em português, nossos pais diziam: "Escute, não quero saber das outras notas. O que você precisa fazer agora é melhorar em português, porque não passou. Então, agora você vai se concentrar mais nessa matéria".

Por toda a vida, aprendemos que o caminho do sucesso é melhorar naquilo em que não somos bons. Concentre-se em sua fraqueza bastante tempo, até ela alcançar um nível "normal". Você tem idéia de como o efeito sobre a produtividade é *pequeno*, quando uma pessoa trabalha com afinco em suas fraquezas até elas subirem de "subnormais" para "normais"?

A vida toda ouvimos dizer que, quando somos bons em uma coisa, é um dom inato. Nossos pais dizem: "Ah, ele toca piano muito bem. Deve ter puxado o avô, deve ter herdado isso dele, tem um talento natural para o piano". Então, aprendemos a não nos concentrar nisso. O talento natural se desenvolve sozinho. As pessoas nos dizem: "Você precisa dar atenção àquilo em que você é *ruim*!"

Jennifer fazia parte de uma equipe de vendas da qual éramos *coaches*, e se sentia um pouco intimidada porque a equipe tinha muitos homens bonitos, vestidos com ostentação, e mulheres bem-arrumadas e articuladas. Já ela era mais tímida.

Era brilhante e muito compassiva, mas não conseguia trabalhar da mesma maneira que os outros vendedores. Por isso, vivia frustrada, tentando apenas corrigir suas fraquezas e, sempre que nos reuníamos com ela, trazia uma longa lista de coisas em que não era boa.

"Quero falar disso", ela explicou. "Estas são as sete coisas em que sou péssima, terrível."

"Jogue fora essa lista."

"O quê?"

"Não nos importamos com essa lista. Não mesmo. Você não estaria aqui se não tivesse as habilidades básicas para o emprego. Portanto, pare com isso. O que gostaríamos que você fizesse é o seguinte: pense um pouco no seu passado. Pense na sua vida. Em que época você foi feliz de verdade? Olhe para o passado e relembre momentos da vida em que você realmente foi feliz. Isso nos dará algumas pistas para prosseguirmos."

"Não muito tempo atrás eu era garçonete, antes de vir para cá", Jennifer disse. "Trabalhei em um restaurante do qual, no começo, eu não gostava, mas depois passei a adorar. Gostava demais de trabalhar lá. Era como se estivesse no céu. Tornei-me tão boa naquilo! Eu servia os fregueses, anotava os pedidos e ganhava as maiores gorjetas entre os funcionários. Era maravilhoso. Parecia um baile, um musical. E também ganhava mais dinheiro que todo mundo lá."

"Achamos alguma coisa aí!"

"Bem, para lá não posso voltar", ela disse. "Tenho contas para pagar. Tenho filhos. Não posso voltar. O salário lá não é muito alto, por melhor que fosse o lugar. Preciso trabalhar aqui. Tenho que conseguir as contas grandes. Preciso das comissões grandes agora, e sei que as consigo."

"Então, é isso que vamos fazer. Mas não com base nos outros vendedores, bem-arrumadinhos e bonitinhos. Vamos usar a sua força."

"Bem, meu ponto forte é servir as pessoas e pegar pedidos nas mesas."

"Sim! É isso que você vai fazer. É essa pessoa que você vai ser. Você vai servir. Vai anotar pedidos. Vai apresentar *menus*. Vai explicar como são os pratos. Vai perguntar aos clientes o que eles preferem. Vai lhes dar opções, e a mesma pessoa que você era no restaurante, será como vendedora. Você vai explorar esse mesmo amor por servir, apresentar opções e trazer pedidos. Essa será você, porém agora nesse novo contexto, vendendo esse produto. E, quando falar ao telefone, será aquela pessoa que quer saber como pode ajudar. Não uma vendedora. Você vai usar todas as palavras que usava quando era garçonete e era feliz: 'Já escolheu? Posso voltar mais tarde, se preferir. Não tenha pressa. Deixe-me apenas explicar o que temos, para que você conheça as nossas opções do dia e possa decidir'. Trabalhe sob esse ponto de vista. Você é assim. Você adorava ser assim. E pode ser assim novamente. Pode servir em vez de vender, e isso dará certo para você."

Dois ou três meses depois, Jennifer estava indo extremamente bem. Teve um progresso notável. Ela passou a encarar todo o trabalho de vendedora sob um prisma totalmente novo. Apoderou-se do que mais amava fazer, e fazia *isso* o dia todo. Pegou aquilo em que já era boa, seu ponto forte, e transformou o bom em ótimo.

39. Debata consigo mesmo

Eu tenho mais medo de um exército de cem ovelhas liderado por um leão do que de um exército de cem leões liderado por uma ovelha.

– Talleyrand

Basta meio período para colocar tudo em dia, organizar as coisas, limpar o caminho e se preparar para iniciar a semana seguinte com uma nova perspectiva de vida, plenamente organizada.

E, mesmo assim, você resiste.

Você sabe que nunca vai "achar tempo" para fazer esse meio período de organização. Por isso, precisa *criar* tempo. Os vencedores criam tempo para fazer o que é realmente benéfico e importante para eles. Os perdedores vivem tentando "achar tempo".

Quando você ouve um gerente pessimista dizer: "Desculpe por não lhe dar um retorno. Fiquei atolado ontem", esse sentimento de estar atolado se tornou realidade.

Mas estar "atolado" é apenas uma interpretação. Se esse gerente estivesse confinado na solitária há cinco anos, e de repente alguém lhe oferecesse um emprego no qual teria muitos telefonemas e coisas para fazer, será que ele chamaria isso de "estar atolado"? Diria estar maravilhosamente ocupado. Acharia a situação um perfeito paraíso.

Então, qual é o certo: atolado ou ocupado?

Um ano atrás, uma freqüentadora de um de nossos *workshops* disse: "Meu emprego é um pesadelo total. É o inferno na terra. Não sei como ainda apareço por lá – é um pesadelo absoluto".

"Qual é o pesadelo?"

"Sou solicitada demais. Tenho dois chefes me dando ordens, tenho uma caixa de documentos pendentes desta altura e chego em casa totalmente estressada."

"Certo, e que tal se a apresentássemos a uma mulher da Nigéria cujo marido morreu dois anos atrás e que já teve de comer da lata do lixo para sobreviver? Você acha que a convenceria de que seu trabalho é um pesadelo? Será que ela não gostaria de trocar de vida com você? Para ela, o seu emprego seria um pesadelo?"

"Ah, não, para ela não seria um pesadelo. Seria a maior bênção."

"Então, será que o seu emprego é um pesadelo? Um pesadelo só é pesadelo no seu pensamento. É apenas uma percepção. Você pode escolher outra, se quiser. Pode escolher outro emprego ou outra forma de perceber as coisas. Você é livre."

Esteja disposto a ensinar à sua equipe como uma pessoa pode debater consigo mesma. Esqueça a idéia de que falar sozinho é insano. Porque a verdade é que, quando questionamos nossos pensamentos, começamos a atingir novos níveis de pensamento. Podemos, sem dúvida, realizar muitas coisas se tivermos coragem suficiente de questionar nossa mente. Veja algumas perguntas que podemos nos fazer: "Isso é verdade? Será que o meu gerente quer mesmo me prejudicar? Isso está acontecendo mesmo? Será que essa é realmente uma má oportunidade? Talvez seja, mas será? O que mais eu poderia dizer sobre isso? Como eu poderia interpretar isso de maneira mais útil?" Podemos ensinar as pessoas a questionar tudo que for negativo.

Seja implacável consigo mesmo também, discutindo o caos que se forma em sua vida. Simplifique-a para sentir seu pleno poder. Quando perguntaram a Vince Lombardi por que seu time de futebol americano, campeão do mundo, tinha o sistema de ataque mais simples de todos, ele respondeu: "É difícil ser agressivo quando se está confuso".

40. Lidere com a linguagem

A primeira responsabilidade de um líder é definir a realidade.

– Max DePree, consultor administrativo e escritor

Certa vez, trabalhamos com um grupo de gerentes encarregados de várias equipes em uma empresa marcada pelo baixo moral dos funcionários. As equipes de trabalho viviam resmungando, mergulhadas numa linguagem comum às vítimas.

Quando sugerimos, porém, palavras diferentes para os gerentes usarem nas reuniões com o seu pessoal, tudo começou a mudar. Os funcionários se tornaram mais automotivados.

Com o avanço da reviravolta psicológica, os gerentes começaram a abrir as reuniões perguntando se alguém gostaria de fazer um agradecimento – "Quem quer prestar um reconhecimento ou agradecer a alguém agora?" –, e a conversa começou a se inclinar para a valorização, não mais para as reclamações e críticas. De repente, o clima das reuniões havia mudado.

Em vez de enfocar os problemas e ficar presos neles, os líderes aprenderam a dizer: "Que oportunidades vocês vêem?" Só por dizerem isso várias vezes, uma espécie de energia diferente começou a surgir, diversa dos dias de baixo moral, quando os líderes diziam: "Quais são os problemas? O que temos de enfrentar? De quem é a culpa?"

Quando os gerentes começaram a perguntar: "O que podemos obter disso?", os resultados começaram a mudar mais rápido. "Tivemos uma semana dura. Vamos revê-la. O que podemos aprender com isso? Que sistemas podemos desenvolver? Se o problema surgir de novo, qual seria uma maneira excelente de lidar com ele? Como podemos nos divertir com isso no futuro?"

Os gerentes tiraram do sistema a linguagem de vítima. Fortaleceram-se, usando expressões como: "O que queremos? Qual é a nossa intenção? Qual é a nossa meta? Que resultado adoraríamos ver?" Todo o vocabulário de vítima foi substituído pela linguagem de intenção, e resultados diferentes foram observados. Estes foram alguns dos mais marcantes:

1. Rotatividade menor de pessoal.
2. Índice de faltas menor.

3. Animação e moral mais altos.
4. Produtividade maior.

E tudo isso aconteceu por meio da linguagem.

As palavras significam coisas. As palavras que formam pensamentos criam algo. As escrituras dizem: "No princípio era o verbo". E há muita verdade nisso hoje em dia. As palavras dão início ao movimento das coisas. Mude uma única palavra do que você diz e você pode apavorar uma criança. Uma palavra assustadora pode fazê-la tremer e chorar. Mude de novo, e a criança fica bem. As palavras comunicam imagens, energia, emoções, possibilidades e medos.

E elas podem assustar um funcionário também.

Às vezes, vítimas tentam ser líderes, mas não conseguem. Elas pensam que devem agir assim, mas o espírito de liderança não é alcançado dessa forma. É um espírito gracioso, não um fardo pesado.

Esta idéia não o levará a lugar algum: "Eu *devo* ser um líder melhor". Sempre que uma vítima descobre a questão da linguagem de liderança e diz: "Sabe de uma coisa? Preciso ser um líder melhor", está apenas usando mais vocabulário de vítima! Isso só a empurrará mais fundo ainda em seus sentimentos de vítima.

Por que você deve ser um líder melhor? "Bem, acho que as pessoas gostariam mais de mim. Elas me aprovariam mais." Que importa o que os outros pensam? O que *você* quer?

Liderança se baseia em intenção pessoal, interna. Liderar é viver uma vida centrada na clareza de propósito. A condição de vítima não é baseada na intenção. Ela se baseia em ser uma vítima da circunstância e da opinião dos outros. A vítima vive obcecada com o que as outras pessoas pensam. "O que minha mulher pensaria se eu fizesse isso? O que meus filhos pensariam? O que meu chefe pensaria? O que as pessoas pensariam se me vissem cantando no carro? Se alguém parar ao meu lado no trânsito, o que vai pensar?"

A obsessão com o que os outros pensam é a maneira mais garantida de perder o entusiasmo pela vida. É o jeito mais rápido de perder a energia básica que lhe permite fazer tudo aquilo de que você mais se orgulha. Observe que as crianças não têm essa preocupação. A maioria das crianças, quando estão fazendo algo que amam, parecem se esquecer de que alguém as observa, e até de que existe um mundo lá fora. Deixam-se levar pelo entusiasmo. Bons líderes fazem exatamente a mesma coisa.

41. Use reforço positivo

O primeiro dever de um líder é o otimismo.
Como o seu subordinado se sente depois de se reunir com você?
Ele se sente entusiasmado? Se não, você não é um líder.

– Marechal-de-campo Montgomery

Ninguém se lembra dele. Parece que todo mundo se esquece. Mas o reforço positivo sempre derrota a crítica negativa.

Não importa se você está treinando golfinhos ou motivando os membros da sua equipe, o reforço positivo é o caminho. Você não vê os treinadores do Sea World batendo nos golfinhos com tacos de beisebol quando eles não saltam através dos aros. Em vez disso, os treinadores lhes dão peixinhos quando eles saltam corretamente.

Por que não nos lembramos disso? Estamos ocupados demais indo atrás de problemas e depois criticando as pessoas problemáticas que os criaram. É assim que a maioria dos gerentes "lidera".

Mas esse é um mau hábito. E, como qualquer mau hábito, pode ser quebrado por determinados comportamentos. Por exemplo, você pode fazer uma pausa antes de enviar *e-mails* ou de ligar para os componentes da sua equipe. Dê um tempo a si mesmo. Pense em algum tipo de reconhecimento que você pode prestar a eles.

É importante perceber como o reforço positivo é poderoso na hora de orientar e moldar o desempenho humano. Essa revelação continua a nos surpreender, porque somos treinados pela sociedade para identificar erros e corrigi-los.

Muito surpreso, Napoleão certa vez disse: "O mais incrível que descobri na guerra é que os homens são capazes de morrer por condecorações".

42. Ensine o poder do "não"

Quando olhamos para o futuro, para o próximo século,
vemos que os líderes serão aqueles que dão autonomia aos outros.
– Bill Gates

A tragédia da vida desprovida de autonomia se estende a todos os aspectos do trabalho. A menos que você mude isso.

Tina se reporta a você. E uma das coisas que ela lhe diz é que está estressada e incapaz de executar todo o trabalho.

Depois de uma longa conversa, você percebe claramente que Tina não tem metas, planos ou compromissos. Não é de estranhar, portanto, que as pessoas se sintam à vontade para fazê-la perder tempo. Pessoas que ela mal conhece a fazem perder muito tempo. Ela não sabe dizer "não" a essas pessoas, porque não disse "sim" a nenhuma outra coisa.

Você conversa com ela. "O maior valor do planejamento e da definição de metas é que essas coisas lhe devolvem a sua vida. Elas a colocam no comando. Permitem que você se concentre no que é mais importante para você."

"Tudo bem, mas como reverto a minha situação?", ela pergunta. "Como aprendo a dizer 'não'?"

"Faça a si mesma as seguintes perguntas: Que metas são mais importantes para mim? Quanto tempo dedico a essas metas? Que pessoas são mais importantes para mim? Quanto tempo dedico a elas?"

Ouvimos muitas queixas de pessoas que levam o mesmo tipo de vida dispersa. É como se elas estivessem morrendo por mil distrações minúsculas. Reclamam que a vida é constantemente sugada pelos pedidos das outras pessoas, todo mundo entrando na sala o dia todo e dizendo: "Você tem um minuto? Tem um minuto?"

Bata a porta na cara delas. Essas pessoas que não param de falar lhe dão uma vida na qual você não aprende a dizer "não". Quando aprender isso, ensine aos outros também. Faça disso um gesto de honra.

O acesso do seu pessoal a um trabalho focado dependerá da disposição deles para desenvolver um músculo pouco usado, que chamamos de Músculo do Não. Se nunca o usarem, ele não funcionará quando for necessário. Estará fraco demais. Qualquer pedido por parte de um colega ou parente os afastará da missão.

O segredo disso está em desenvolver primeiro o Músculo do Sim. Se disserem "sim" às coisas que lhes são importantes, será cada vez mais fácil dizer "não" ao que não é importante. Ajude-os a verbalizar o que querem. Faça-os dizer em voz alta.

"Tina, você precisa saber de antemão o que quer. Defina o que você quer de sua carreira, saiba antecipadamente e conseguirá se livrar dessa sobrecarga. É fácil dizer 'não' a uma coisa se você já disse 'sim' a algo melhor."

43. Encoraje seu pessoal a ter pensamentos amistosos sobre o cliente

Só existe um chefe: o cliente.

– Sam Walton

Nossos clientes são a origem, a fonte de todo o dinheiro que temos e de tudo que possuímos. Não é a empresa que nos paga, é o cliente. A empresa apenas nos repassa o dinheiro dele.

Quando saímos em férias, é importante ter em mente que *são os clientes que as pagam.* Quando colocamos um filho na faculdade, é com o dinheiro dele!

Sam Walton construiu seu império Wal-Mart sabendo que existia sempre um único chefe: o cliente. "E o cliente pode demitir todos na empresa", dizia Walton, "a começar pelo presidente, simplesmente gastando seu dinheiro em outro lugar."

Por que não começar a motivar nossos funcionários de acordo com essa perspectiva? Por que não mostrar a eles o prazer de considerar o relacionamento com o cliente uma real e sincera amizade? Essa pode ser, no fim das contas, nossa vantagem competitiva.

Sem o nosso encorajamento de líder, o cliente escapa do nosso radar. Sem nossas perguntas provocadoras e respeitosamente incentivadoras aos nossos funcionários, o cliente pode até se tornar um "aborrecimento" ou um "mal necessário" na vida deles.

Em nosso empenho de criar vínculos com as pessoas que se reportam a nós, às vezes nos solidarizamos e simpatizamos com suas terríveis histórias sobre as dificuldades em agradar os clientes, sobre como os clientes abusam dos funcionários, como o telefone tocando o dia todo é um problema para a administração do tempo... e concordamos com isso. E, ao concordar, estamos plantando as sementes que permitem que os clientes sejam tratados com frieza, estupidez e de maneira nada amigável.

Isso destrói todo o propósito do nosso negócio! Vamos mais longe ainda: de maneira indireta, isso se torna a raiz de todos os problemas que temos na empresa.

Observe como você é tratado pelas companhias aéreas que estão enfrentando as maiores dificuldades financeiras e, por outro lado, como é tratado (quase sempre... ninguém é perfeito) pelo pessoal da Southwest Airlines, a única companhia aérea altamente rentável dos Estados Unidos. Não é à toa que a Southwest é a única empresa aérea que se dedica totalmente a pensar no cliente, enquanto as outras se dedicam a pensar exclusivamente nelas mesmas.

O propósito da sua empresa é cuidar tão bem do cliente que ele acaba criando o hábito de retornar e comprar cada vez mais. Mas isso só acontece quando os funcionários constroem conscientemente um relacionamento com os clientes, de maneira ativa, criativa, sábia, estratégica, engenhosa e gentil. Construir um relacionamento não é fácil.

E isso nunca acontecerá se o seu pessoal vir o cliente como "um aborrecimento... alguém que me atrapalha quando estou quase indo almoçar... nada além de um problema em meu dia... alguém que quer devolver alguma coisa... alguém tentando testar meus anos de experiência... um babaca... um idiota..."

Esse tipo de desrespeito e até de desprezo pelo cliente penetra na mente dos nossos funcionários porque eles não são continuamente estimulados a pensar diferente. Em outras palavras, não têm liderança. Em outras palavras ainda, a responsabilidade é minha e sua. Uma má atitude em relação ao cliente sempre vem, de maneira sutil, do alto.

O peixe apodrece da cabeça para baixo.

Nós, como líderes, damos o tom. Ou fazemos as perguntas certas aos nossos funcionários ou simplesmente não fazemos. Se sou um líder, quero fazer as perguntas certas, que respeitem a inteligência do meu pessoal. Quero tratá-los como mestres em psicologia, como especialistas em comportamento e padrões de pensamento do cliente – porque eles são. Quero perguntar como podemos desenvolver um relacionamento de confiança com o cliente. Como podemos converter um simples telefonema em um relacionamento amigável, que leve o cliente a gostar de nós e a desejar comprar da nossa empresa, independentemente do nosso preço. Quero perguntar como podemos fazer com que a equipe de vendas ganhe a confiança do cliente e que ele volte a fazer negócio conosco. Quero pedir conselhos e ajuda em relação à psicologia do cliente. Quero fazer perguntas que motivem os meus gerentes a começar a pensar em clientes vitalícios, em vez de transações únicas.

Posso iniciar uma reunião com a minha equipe dizendo: "Digamos que você é um cliente potencial e está ligando para a minha loja. Imaginemos que é novo na cidade e ainda não tem o hábito de comprar esse produto. A minha é a terceira loja que você consulta. Se eu estiver estressado e mal-humorado e simplesmente lhe der o preço que você queria saber e depois desligar o telefone, talvez eu o perca para sempre. Que importa? Uma perda de 130 reais não vai nos matar! Mas pense no impacto progressivo – no mínimo, pelos próximos dez anos. E se aquele cliente gastar apenas oitocentos reais por ano nesse produto, mas, por causa desse telefonema, ele criou o hábito de comprar do nosso concorrente? (A maioria das pessoas vai a determinadas lojas porque se sente mais à vontade nelas.) Em dez anos, esse cliente teria gastado oito mil reais. Ou seja, oito mil reais perdidos em uma conversa ruim de um minuto ao telefone. Se uma pessoa perdesse oito mil reais da caixa registradora em um minuto, continuaria trabalhando para nós?"

Finalmente, não quero ser conservador demais, ou "profissional" demais, ou ter receio do que as pessoas vão pensar de mim se eu usar a palavra "amigo" de vez em quando, em minhas perguntas sobre como tratar os clientes melhor. Como nós trataríamos esse cliente se ele fosse um querido amigo nosso?

Por que a palavra "amigo" é tão pouco ouvida no mundo das relações empresariais? Os amigos são tão "melhores" que os clientes? O seu melhor amigo vem visitá-lo e lhe dá dinheiro para pagar a próxima parcela do financiamento da sua casa? O seu amigo pega o talão de cheques depois de tomarem uma cerveja juntos e diz: "Vou lhe dar uma coisinha para ajudar com o pagamento do dentista da sua filha"? Não?

Os nossos clientes, sim.

44. Use o seu melhor tempo para o seu maior desafio

É tão difícil, quando analisado de antemão,
e tão fácil quando você faz.

– Robert Pirsig, filósofo e escritor

É muito importante usar o seu melhor tempo para o seu maior desafio.

Claro que nem sempre você consegue fazer isso. Às vezes, os desafios criam um verdadeiro rombo em seu cronograma. Sempre que possível, porém, tente combinar o seu horário nobre biológico (emocional, físico, mental) com a grande tarefa ou os grandes comunicados que você precisa fazer.

Muitos líderes são mais produtivos nas primeiras horas da manhã; para outros, o horário nobre é o fim da manhã; outros, ainda, preferem a tarde. Seja qual for o seu melhor horário para brilhar, não o desperdice com banalidades e atividades de baixo retorno. Invista essa energia e alta atenção no grande desafio que você vem adiando.

A maioria das pessoas confunde prazer com felicidade... Temos grande prazer em desperdiçar nosso mais alto nível de energia em tarefas pequenas, cuidando delas com muito zelo e gosto, direcionando grandes ondas de energia e animação a essas obrigações menores. Mas, o tempo todo, aquela grande tarefa paira sobre nós, esperando até ficarmos cansados e mal-humorados para lidar com ela... motivo pelo qual tal tarefa é quase sempre adiada.

Saiba de antemão qual é o seu maior desafio. Enfrente-o com *ação firme, ininterrupta,* no momento em que você estiver mais atento e disposto. Esta é a verdadeira fonte da felicidade profissional de um líder: o sentimento de realização quando esse grande desafio é enfrentado!

Só a expressão em seu rosto já motivará os outros a segui-lo.

45. Use bem os dez minutos

O homem não deve permitir que o relógio e o calendário o ceguem para o fato de que cada momento da vida é um milagre e um mistério.

– H. G. Wells

Perguntaram ao filósofo contemporâneo William Irwin qual era o segredo de uma liderança eficaz. Sua resposta foi: "Aprenda a usar dez minutos de maneira inteligente. Isso lhe trará enormes dividendos".

Freqüentemente, o que separa um grande líder de um mau gerente é apenas isto: a habilidade de usar bem dez minutos.

Colocamos a frase de Irwin na parede do nosso escritório, para nos lembrarmos de que é útil ter citações motivadoras afixadas ao nosso redor, em locais bem visíveis. É uma forma de abrir os olhos e enxergar o seu potencial, principalmente quando só se tem dez minutos antes do próximo compromisso. Vai usar bem esses dez minutos? Ou vai apenas passar o tempo?

Nossa recente visita ao escritório de um líder muito bem-sucedido foi agraciada com a observação destas palavras, afixadas na parede atrás de sua mesa – uma ótima sugestão para usar bem os dez minutos:

As palavras mais importantes:
As 5 palavras mais importantes: *Eu tenho orgulho de você!*
As 4 palavras mais importantes: *Qual é sua opinião?*
As 3 palavras mais importantes: *Se você puder.*
As 2 palavras mais importantes: *Muito obrigado.*
A palavra mais importante: *Você.*

Aqui vai outra citação afixada na nossa parede. Esta é de Charles Buxton, famoso advogado e parlamentar do século XIX: "Você nunca vai 'encontrar' tempo para coisa nenhuma. Se quiser tempo, tem de criá-lo".

E, às vezes, aquele poderoso elemento de liderança que não *encontramos* tempo para abordar pode ser encaixado na janela de dez minutos que *criamos.*

46. Saiba o que você quer desenvolver

Disciplina é a ponte entre metas e realizações.

– Jim Rohn, escritor e motivador

A maioria dos gerentes, principalmente aqueles que têm dificuldades para planejar, coloca os números do planejamento em sexto lugar na lista de prioridades.

A maioria coloca os seguintes itens acima do planejamento em sua lista de prioridades:

1. Não ferir os sentimentos dos outros.
2. Parecer sempre ocupado.
3. Apagar incêndios e resolver problemas.

4. Explicar e justificar o desempenho dos outros, tanto no primeiro quanto no último degrau da escada.
5. Ser amado.

Alguns anos atrás, vimos um brilhante consultor administrativo entrar em uma empresa financeiramente deficitária e virar a mesa. Ele simplesmente alterou as prioridades.

A primeira providência que tomou foi espalhar painéis ENORMES por toda a sala de reuniões para revelar os números de vendas e as atividades diárias.

No passado, os números eram motivo de embaraço para aquela empresa. Mal eram sussurrados no fim do mês. Quando as pessoas não os atingiam, a gerência gastava todo o seu tempo escutando as justificativas para isso.

Os vendedores eram bons, mas estavam aprendendo a vender suas *desculpas*, não o produto. Todas as reuniões da gerência enfocavam "circunstâncias, questões e situações que nos impedem de ter sucesso".

Outro dia, conversamos com o gerente operacional de uma empresa que estava se distanciando cada vez mais de suas projeções comerciais.

"Não estamos fazendo nenhum planejamento", ele disse.

"Por que não?"

"A economia. O clima. A guerra. A educação das crianças hoje em dia. A falta de bons candidatos para os cargos aqui. Disfunção da empresa. Declínio da área. Regulamentos do governo. Aumento da concorrência. Falta de orçamento para treinamento em vendas."

"Fora isso, o que atrapalha o seu caminho?"

Participamos das reuniões da empresa e observamos que todas as reuniões gerenciais abordavam esses assuntos. Concentravam-se nos obstáculos para o sucesso.

Aquilo em que você se concentra se desenvolve, cresce. Concentre-se nos números, e eles crescerão também. Muito.

47. Amoleça seu coração

Só avança na vida aquele cujo coração amolece,
cujo sangue se aquece, cujo cérebro acelera
e cujo espírito entra em uma paz viva.

– John Ruskin, filósofo e escritor

Aqueles que realmente se dão bem como líderes e vendedores transformam toda a atividade e o conceito de gerenciar e vender (embora tenham grande respeito por isso) no conceito diário de construir relacionamentos.

Eles sempre pensam em termos do relacionamento com o outro: Como posso melhorar esse relacionamento? Como posso servir ao outro? Como posso contribuir para a vida dele hoje? Como posso demonstrar meu compromisso com ele? Como posso torná-lo mais feliz? Como posso facilitar o seu acesso a essa informação?

Há um desenvolvimento contínuo do lado amistoso do relacionamento. O líder sabe que a comunicação resolve todos os problemas. A omissão os piora.

Nenhum acordo de liderança pode ser feito sem uma conversa. Por isso, faça com que suas conversas sejam fundamentais. Tenha muitas conversas hoje, e que elas sejam cordiais, confortáveis e conduzam à meta final.

O grande professor Lance Secretan escreveu treze livros sobre liderança, e resume suas descobertas da seguinte maneira: "A liderança não consiste tanto em técnicas e métodos, e sim em abrir o coração. Liderança é inspiração – de si mesmo e dos outros. Liderança com excelência envolve experiências humanas, não processos. Além disso, não é uma fórmula ou um programa, mas uma atividade humana que vem do coração e leva em conta o coração dos outros".

48. Oriente sua equipe a finalizar

Nada é mais fatigante que a eterna pendência
de uma tarefa incompleta.

– William James

Se os seus funcionários ficam cada vez mais esgotados e desiludidos, cabe a você ajudá-los a elaborar um curso de ação que os leve à conclusão de projetos anteriores.

Uma vez, muito tempo atrás, fomos ver Cheryl Richardson fazer uma apresentação à empresa Coach U, em Phoenix, nos Estados Unidos, e era a primeira vez que participaríamos das reuniões dessa empresa. Não conhecíamos Cheryl e não sabíamos nada sobre a Coach U, mas fomos mesmo assim.

Ela se levantou e disse a todos: "Vocês podem fazer uma lista com as dez coisas mais importantes que estão incompletas e precisam ser finalizadas em sua vida? Podem me mostrar essa lista?"

Claro que todos tinham uma lista assim. Em seguida, ela nos deu um exemplo de como era seu trabalho de *coach*. Disse que um massoterapeuta foi consultá-la e ela perguntou: "Qual é o problema?"

"Preciso de mais clientes."

"Certo. Quero que você escreva as dez principais coisas que você precisa completar em sua vida."

E o cliente escreveu.

Em seguida, ela disse: "Agora, quero que você se comprometa a completar essas coisas".

E o massoterapeuta disse: "Tudo bem, mas não foi para isso que vim aqui. Estou aqui porque preciso de mais clientes".

"Eu sei. Faça isso e você terá."

"O quê? Mas isso não tem nada a ver com ter mais clientes."

Cheryl explicou: “Na verdade, tudo que está incompleto em sua vida é o que chamo de *dreno de energia*. E é isso que o está impedindo de ter mais clientes”.

“Bem, para mim isso não faz o menor sentido.”

“Esse é o meu *ganha-pão*! Aconselho muitos clientes que têm o mesmo problema. Você está disposto a tentar? Se não estiver, paramos o trabalho por aqui.”

“Está certo, acho que sim. Preciso terminar essas coisas, mesmo.” Assim, ele se comprometeu a fazer três das dez coisas até o próximo encontro.

Na semana seguinte, o massoterapeuta chegou e disse: “Completei meu dever de casa”.

E Cheryl perguntou: “O que aconteceu?”

“Incrível! Mesmo antes do fim da primeira semana, apareceram três clientes do nada e preencheram meu horário.”

“É assim que a coisa funciona.”

Nunca nos esquecemos dessa lição e a ensinamos sempre, desde aquele dia. Não são as coisas incompletas em si que atrapalham as pessoas, mas o pensamento subjacente a elas; o conhecimento subconsciente *é o dreno de energia.*

Esse conhecimento está drenando a produtividade e a vitalidade da sua equipe. Ajude-os a finalizar as coisas incompletas e ficará surpreso com a motivação deles.

49. Faça a matemática da sua abordagem

Nosso ganha-pão é o que recebemos,
mas nossa vida é o que damos.
– Winston Churchill

Você vai realmente gostar de motivar os outros se começar a ver sua vida como uma equação matemática.

Vimos pela primeira vez como isso é divertido e benéfico quando nosso amigo e CEO Duane Black resolveu a equação em duas folhas de um *flip chart* diante de um agradável grupo de gerentes.

Aqui está: quando você é positivo (usando o símbolo matemático +), *adiciona* algo a qualquer conversa ou reunião da qual está participando. Ser positivo é isso, adicionar.

Quando você é negativo (-), subtrai algo da conversa, da reunião, do relacionamento do qual faz parte. Se for negativo muitas vezes, subtrairá tanto do relacionamento que não sobrará nada. Simples matemática. É a lei do universo ali no *flip chart* da vida: positivo adiciona, negativo subtrai.

Como na matemática, quando você usa o negativo, o total diminui. Coloque uma pessoa negativa na equipe, e o moral e o espírito (portanto, a produtividade e o lucro) diminuem.

Quando você é um líder positivo, com pensamentos positivos sobre o futuro e as pessoas lideradas por você, acrescenta algo a todo indivíduo com quem conversa. Você traz algo de valor a toda comunicação. Até os *e-mails* e telefonemas (positivos) acrescentam algo à vida da pessoa que os recebe. Porque o positivo sempre adiciona.

É um *plus* definitivo.

E vai mais longe ainda. Se você tem pensamentos positivos o dia todo, está acrescentando à sua profunda experiência interior de vida. Está adicionando *algo a mais* ao seu espírito e à sua energia, a cada pensamento positivo.

Seus pensamentos negativos drenam sua experiência de vida. Eles lhe roubam energia.

Diga isto a si mesmo: "Gosto dessa matemática. Gosto de sua simplicidade. Agora posso fazer isso o dia todo. Quando tenho pensamentos negativos sobre minha equipe ou minha lista de coisas a fazer, sei que está na hora de fazer uma pausa, me recompor e recomeçar. Está na hora de dar um tempo, fechar os olhos e relaxar em meu propósito e minha missão. Está na hora de desacelerar e respirar. Faço várias pausas rápidas durante o dia, e esse hábito está mudando minha vida para melhor. Está me deixando mais forte e mais disposto do que nunca".

A sua força e a sua energia motivam os outros. Como disse Carlos Castaneda, "Ou nos fazemos infelizes ou nos fortalecemos. A quantidade de esforço é a mesma".

50. Inclua-se

Decidir estar no nível da escolha é assumir responsabilidade por sua vida e estar no controle dela.

– Arbie M. Dale, psicólogo e escritor

Líderes que têm mentalidade de dono são motivadores mais eficientes do que aqueles que passam por vítimas da estrutura "corporativa" ou da "alta gerência". Isso acontece porque eles tomam a decisão consciente de *viver no nível da escolha.*

O dia todo, sua equipe os ouve falar de "vestir a camisa". Estão sempre dizendo "Inclua-me", "Estou nessa". O motivo pelo qual eles dizem essas coisas não é porque estão bajulando os grandes chefes da empresa. Na verdade, eles não se incomodam muito com a identidade dos chefes! Eles vestem a camisa da empresa porque isso torna a vida mais interessante, faz do trabalho uma experiência melhor e mais divertida. Seja um jogo de vôlei num piquenique ou o último grande projeto da empresa, é *mais divertido* se juntar e jogar de verdade.

Digamos que a empresa determine que todos se distribuam em grupos experimentais. O gerente com mentalidade de vítima pode dizer: "Vou esperar para ver. O que é essa novidade que estão jogando para cima de nós agora? Como se já não bastasse ter de trabalhar para viver, agora tenho que entrar nesses jogos. O que é essa besteira de dividir em grupos agora? Não vou entrar nessa por enquanto, vou esperar para ver. Vou esperar uns cinco anos".

Enquanto isso, o líder com mentalidade de dono diz: "Bem, não vou julgar isso. Seria desperdício de energia mental. Vou vestir a camisa. Por quê? Porque a idéia merece a minha participação? Não. Não me importa se merece ou não. Vou entrar nessa porque isso me dá mais energia, deixa o meu trabalho mais divertido, e eu mereço ser feliz no trabalho, e sei, por experiência, que participar das coisas funciona".

A verdadeira liderança inspira o espírito de participação. É um espírito que nada tem a ver com o fato de a empresa merecer que eu vista a camisa ou não. A fonte desse espírito é o comprometimento pessoal de ter uma grande experiência de vida. É desse comprometimento que vem o espírito. Não importa se a empresa "faz por merecer". Verdadeiros líderes não personalizam negativamente a empresa. Esse hábito é uma forma de distúrbio mental.

Você defende a saúde mental. E, quando outras pessoas vêem esse espírito em você, são motivadas a viver assim também. Elas vêem que funciona.

No esporte, às vezes é mais fácil ver o valor desse espírito. Parece óbvio e lógico para o atleta dizer: "Não me importa se estou jogando para um time menor ou maior. Meu interesse pessoal é dar o melhor de mim quando jogo". Nas empresas, porém, essa é uma posição rara. Líderes automotivados são raros.

Os verdadeiros líderes não esperam que a empresa os conduza. Eles *assumem* a liderança. Não esperam até a empresa lhes dar algo bom para prosseguir.

Nenhuma empresa jamais será páreo para um indivíduo grandioso. Um indivíduo grandioso sempre será mais criativo do que a empresa como um todo.

Martin Luther King dizia: "Se um homem é chamado para ser varredor de rua, ele deve varrer as ruas como Michelangelo pintava, ou como Beethoven compunha, ou como Shakespeare escrevia".

51. Para motivar, esteja descontraído

Um capitão assustado deixa a tripulação assustada.

– Lister Sinclair, dramaturgo e locutor

O incrível professor de música e motivador de artistas Rodney Mercado tinha uma receita simples para o sucesso.

Ele dizia: "Há apenas dois princípios que você precisa seguir para tocar música bem ou para viver bem a vida: concentração e descontração. E é só isso. Só isso".

Scott Richardson se lembra desse comentário e também do que ele respondeu a Mercado: "O quê? Mas isso não tem nada a ver com música!"

"Tem tudo a ver."

E o modo como ele ensinava a descontração era simples. "Você precisa ter o máximo de descontração. Por exemplo, se quer tocar mais rápido, Scott, precisa relaxar mais. Se quer tocar mais alto, precisa relaxar mais. Se quer mais som, precisa relaxar mais."

Até aquele ponto da minha vida, essas palavras pareciam algo como: "Se você quer ser peão, vá estudar em Harvard". Não fazia o menor sentido. Parecia uma contradição.

Não parece uma contradição? Se você quer motivar as pessoas, não quer que elas fiquem agitadas e animadas? Até então, era o que eu pensava: bota para quebrar! Mexa-se!

Por isso, até aquele momento, se eu quisesse tocar mais rápido, pensava que eu devia ficar agitado e tenso. E tentava isso cada vez com mais afinco. Eu me tornava cada vez mais tenso, de tanto esforço que fazia para incrementar alguns aspectos da minha vida.

Mas Mercado disse: "Vou tocar uma passagem de uma música e quero que você preste atenção por um instante".

Eu prestei. Não me lembro da passagem tocada na época, mas ele quase arrancou as cordas do violino. Era uma bela música, mas parecia que ele ia fazer as cordas saírem voando, tamanhos eram o som e o movimento produzidos. Fiquei boquiaberto.

"Agora, Scott, quero que você coloque o braço em cima do meu e sinta o que acontece enquanto toco essa passagem."

Quando coloquei meu braço por cima do dele, e ele tocou (confesso que tive que segurar com força, porque parecia que seu braço ia voar), fiquei impressionado, porque os músculos estavam totalmente relaxados. Não havia a menor tensão neles!

E de repente entendi.

Entender aquilo me fez mudar totalmente meu conceito de tocar violino, mas também mudou meu conceito *do que eu estava fazendo na vida*. Vivia tenso e estressado para alcançar o sucesso, em vez de relaxar para isso.

A mesma fórmula serve para os corredores em competição. Quando tentam correr mais rápido, o que a maioria faz é se esforçar mais na corrida. E, embora não percebam, seus músculos ficam tensos e seu tempo aumenta em vez de diminuir. Tentar demais os deixa mais lentos! Os corredores não percebem que são muito mais rápidos quando estão no ápice do relaxamento.

Vi isso durante uma aula de educação física com a equipe de corrida da Universidade Brigham Young. Eu achava que era durão e corri contra um sujeito que não fazia parte da equipe. O rapaz chegou em primeiro por pouco, mas estava tenso e fora de controle, e literalmente tropeçou por cima da linha de chegada.

Depois disso, conheci um rapaz que fazia parte da equipe de corrida da universidade e o desafiei para uma corrida. Ele me venceu com ampla vantagem. Era a teoria de Mercado em ação: estava totalmente descontraído, flexível, e passou por mim voando.

Esse é um princípio que agora adoto para tudo que faço. Se estou diante do júri, ou na minha empresa, ou em qualquer grupo onde tenha que falar, sei que o segredo é a descontração, por mais que isso pareça absurdo.

O que as pessoas geralmente fazem? Ficam nervosas, tensas, e seu desempenho conseqüentemente cai. Mas, por causa do treino que tive com Mercado, toda vez que me sinto tenso, desacelero e relaxo.

Sempre me lembro de suas palavras: "Se você começa a tremer, só há um motivo para isso. Você está tenso. Se você relaxar, não vai tremer. Se começar a tremer, é um sinal de que não está relaxado". Muitos líderes ficam tão nervosos diante de sua equipe ou da própria empresa que não conseguem falar e perdem toda a habilidade de motivar as pessoas!

Já freqüentamos inúmeras convenções e seminários onde o CEO perdeu a oportunidade de motivar seu pessoal porque subiu ao palanque e leu, nervoso, um discurso escrito, ou fez uma apresentação breve e tensa que deixou todo mundo entediado.

O vice-presidente de um grande banco falou conosco sobre seu CEO, após este ter se dirigido a duzentos executivos em uma conferência anual: "Vocês o ouviram? Vocês o viram? Puxa, esperamos o ano todo para ouvir suas palavras e ele nos dá uma fala nervosa, curta e ensaiada! Parece que nem queria se dar o trabalho de falar conosco!"

"Era óbvio que ele estava nervoso para falar."

"É o que digo! Para ele, aquilo era uma obrigação. Era óbvio que não queria falar. Só permaneceu focado em si mesmo e no pouco que teria de fazer."

"O que você esperava? Ele não é um orador."

"Bem, se ele quer ser o líder de uma grande empresa e espera que alcancemos as metas que está nos pedindo, é melhor aprender a falar em público! Porque o importante não é ele, mas nós. Merecemos coisa melhor. Merecemos alguém que fale conosco, mas que fale mesmo. Do coração. Alto e bom som, com paixão e sem anotações."

"O que você *realmente* acha da fala dele?"

"Acho que ele só mostrou seu patético ego e demonstrou que não merece liderar essa empresa, porque se recusa a se arriscar. Estaríamos mais motivados agora se ele tivesse se ausentado por motivo de doença."

Se você se vir em uma situação em que terá de falar com seu pessoal e se sentir tenso, sentir que a conversa não está vindo do coração, pratique a descontração imediatamente. Se suas pernas começarem a tremer, não se preocupe. É apenas um momento de *feedback* do corpo, que está lhe dizendo que você não está descontraído. Se você está relaxado, não pode tremer – é fisicamente impossível. Quando você finalmente se descontrair, será um orador muito melhor. Portanto, não pratique apenas a sua fala, mas também a descontração.

52. Não aperte o botão de desistir

A maioria das pessoas tem sucesso porque está determinada a ter. Pessoas de habilidade mediana às vezes alcançam sucesso extraordinário porque não sabem quando desistir.

– George Allen, técnico de futebol americano

Todo atleta olímpico, todo líder e todo ser humano têm em comum uma parte do cérebro pouco conhecida: o botão de desistir.

Algumas pessoas, por hábito já enraizado, apertam o botão de desistir ao primeiro sinal de frustração. A malhação está difícil, elas apertam o botão e vão para casa. O dia cheio de telefonemas é frustrante, elas apertam o botão, saem para tomar café com um colega de trabalho e passam duas horas de negatividade solidária.

Todo mundo tem o botão de desistir. Mas nem todo mundo sabe disso.

Descubra esse botão. Perceba quando você o está apertando. Você não pode e não vai desistir enquanto não apertar o botão. O ser humano é como qualquer animal, programado para persistir até alcançar a meta. Observe como as crianças conseguem o que querem e você compreenderá essa natural e intrínseca persistência.

Em alguma parte do caminho, no entanto, descobrimos a existência desse pequeno botão. Logo, começamos a apertá-lo. Alguns começam depois de uma grande frustração e passam a apertar o botão após frustrações médias, até que apelam para ele diante de qualquer desconforto. E desistem.

Se você não tivesse o hábito de apertar o botão tão rapidamente, alcançaria quase todas as suas metas. Você nunca desistiria da sua equipe. Atingiria a meta de vendas a cada mês. Conseguiria perder todo o peso que deseja perder. Alcançaria qualquer coisa que quisesse, se não apertasse o botão.

O botão de desistir é algo no qual você pode se concentrar, estudar e fazer funcionar *a seu favor* e não contra você. Apertá-lo cedo ou tarde é só uma questão de costume. O hábito de apertar o botão é equivocadamente interpretado como falta de força de vontade, coragem ou desejo, mas isso não é verdade. E, como qualquer hábito, pode ser substituído por outro.

Crie o hábito de *não* apertar o botão de desistir logo no início de um processo. Não desista de si mesmo como líder nem de sua equipe como indivíduos produtivos. Quanto menos você desistir, melhor motivador será.

53. Lidere com entusiasmo

Nada grandioso jamais foi criado sem entusiasmo.
– Ralph Waldo Emerson

O mundo inteiro é um palco. Você é um grande ator nesse palco.

Portanto, quando for a sua vez de entrar em cena, entre com entusiasmo! Principalmente se tiver algo que vai incendiar a sua equipe. Se tiver de convencer seu pessoal de alguma coisa, tente falar com todo entusiasmo possível, vindo do coração.

Quando seu funcionário falar, ouça com entusiasmo. Brilhe. Resplandeça. Irradie espírito de liderança e soluções. Energize-se. Suba cada vez mais alto.

Quando estiver pronto para envolver a equipe, não saia de cena. Lembre-se de que você está *representando* com entusiasmo. Você é um ator, e dos bons. Termine a cena de maneira estonteante. Entusiasmo é algo contagiante. As pessoas gostam dele. Sorriem e balançam a cabeça, alegres... Podem até rir de prazer, pelo motivador que você é.

A maioria dos gerentes comete o erro de não fazer isso. Eles agem de modo reservado, frio e "profissional". Não se comportam como "profissionais" porque *são* profissionais, e sim porque têm medo (de como estão indo), e pensam que, se agirem com frieza, estarão em segurança.

Falamos com Jeremy a respeito de uma conversa que ele teve com sua equipe.

"Você não parecia muito entusiasmado com esse novo sistema de comissão, Jeremy."

"É mesmo? Não percebi."

"Aí é que está."

"O quê?", perguntou Jeremy.

"Você não percebe a sua falta de entusiasmo na frente da sua equipe porque opta por não ter consciência disso."

"Opto, como?"

"Você escolhe não ser entusiasmado."

"Ah, acho que não. Não sinto que escolho isso", protestou Jeremy.

"Você fala espanhol, não fala, Jeremy?"

"Falo. Sou bilíngüe. Isso ajuda com alguns clientes."

"Você percebeu que conversou com a sua equipe em inglês? Teve consciência disso?"

"Claro que sim."

"Escolheu isso?"

"Claro que escolhi! A nossa língua é o inglês. Aonde você quer chegar?", ele perguntou.

"A sua escolha de falar inglês é tão clara e definida quanto a sua escolha de não falar com entusiasmo. Você pode optar pelo entusiasmo (ou pela falta dele), assim como opta entre duas línguas, inglês ou espanhol. Recomendamos que você pare de optar pela falta de entusiasmo na frente da sua equipe."

Jeremy não disse nada.

"Porque a frieza não vende. Um profissionalismo indiferente não causa boa impressão. É logo esquecido, assim como a idéia que você estiver tentando promover."

O termo "entusiasmo" vem das palavras gregas *en theos*, que podem ser traduzidas como "o Deus interior", o seu *eu* mais animado e espiritual. É você multiplicado por dez. Como, por exemplo, quando você era um garotinho passeando de bicicleta sem usar as mãos.

O entusiasmo é contagiante. Se você está animado com uma idéia, deixará todo mundo animado. É assim que funciona. Lembre-se sempre da observação de Emerson: "Nada grandioso jamais foi criado sem entusiasmo".

Você pode liderar com ou sem entusiasmo. Essas são as suas opções. Uma delas é capaz de gerar uma equipe altamente motivada; a outra gera problemas permanentes.

"Mas como posso estar entusiasmado quando não estou?", Jeremy finalmente perguntou.

Os gerentes fazem essa pergunta o tempo todo. A resposta é fácil. A maneira de você *ter* entusiasmo é *agir* com entusiasmo. Ninguém no mundo saberá a diferença se você interpretar o papel do entusiasmado com a alma e o coração. Um minuto e meio depois de começar essa encenação, uma coisa engraçada começa a acontecer: o entusiasmo se torna real. Você sente e a sua equipe também.

54. Encoraje sua equipe a se concentrar

A primeira lei do sucesso é a concentração,
convergir todas as energias para um ponto e ir direto a ele,
sem olhar para a direita nem para a esquerda.

– William Matthews, jornalista

Outro princípio no qual Rodney Mercado acreditava era a concentração, ou o foco. E, para fazer seus alunos entenderem esse conceito, ele tinha um sistema esquisito.

Scott relembra: o professor Mercado nos fazia participar de recitais, como faz a maioria dos professores. Mas, nessas ocasiões, ele nos pedia que tocássemos as peças duas vezes. Na primeira, nos apresentávamos como em qualquer recital padrão. Tocávamos "Mary Had a Little Lamb" no violino e o público aplaudia educadamente. Então Mercado dizia: "Certo, agora vamos tocar de novo. Todos terão a chance de apresentar sua parte mais uma vez".

Mas dessa vez, enquanto os violinistas se apresentavam, Mercado distribuía pedaços de papel com instruções ao público, do tipo: "Vá até o violinista e coce a orelha dele", "Cante 'Yankee Doodle Dandy'". Ele chegava a dizer ao músico que acompanhava o violinista: "Mais rápido", "Mais devagar", "Pare".

O professor chegava até onde estávamos tocando e fazia coisas ainda mais radicais! Tirava o arco de nossas mãos. Desafinava as cordas de um jeito que não conseguíamos produzir som algum. Depois, começava a afinar o instrumento ao contrário. O céu basicamente desabava sobre nossa cabeça durante a segunda apresentação.

Quando ela acabava, ele perguntava a cada um de nós: "Qual apresentação foi melhor? A primeira, normal, ou a segunda, em meio ao inferno?"

Hoje em dia, quando pergunto às pessoas o que elas acham que respondíamos, a maioria diz que era a primeira, a normal. Mas, invariavelmente, a segunda apresentação era a melhor, aquela em que ele quase conseguia nos distrair! E todos admitíamos isso. E então, ele fazia a segunda pergunta: "Por quê?"

A resposta era óbvia para os músicos que haviam vivido a experiência: porque fomos "forçados" a ter, internamente, total concentração e foco na música. Éramos obrigados a afastar todo e qualquer impacto ou influência do ambiente, simplesmente os eliminando. Se prestássemos atenção no que estava acontecendo à nossa volta, estaríamos irremediavelmente perdidos.

Assim, graças àquela concentração total naquilo que tentávamos fazer – a música –, excluindo todo o resto, até mesmo o músico que nos acompanhava, nosso desempenho era fantástico diante de circunstâncias adversas. Você não pode imaginar nada tão difícil.

A lição era enorme. E a uso da seguinte maneira: sempre que me aborreço com o caos à minha volta, eu *o uso* para me concentrar ainda mais.

Se você quer que o seu pessoal seja verdadeiramente influenciado por seu exemplo, mostre a eles como usar as distrações para se concentrar ainda mais. Mostre-lhes como fazer isso.

55. Inspire estabilidade interior

Tornar-se líder é sinônimo de se tornar você mesmo.
É ao mesmo tempo tão simples e tão difícil.

– Warren Bennis

As pessoas correm tanto atrás da estabilidade. Todos os líderes a quem damos treinamento e com quem trabalhamos estão, em um ou outro nível, buscando mais estabilidade no trabalho, na carreira e, em especial, na empresa.

Mas a chave para a estabilidade não pode ser encontrada *fora de você*. É inútil tentar buscá-la na empresa ou em sua área de atuação. O segredo está dentro de você. Você precisa virar o espelho para ver a si mesmo. Precisa encontrar essa chave em seu entusiasmo pelo trabalho. E, às vezes, esse entusiasmo interior precisa ser construído do zero, de improviso.

O psicólogo Nathaniel Branden define a situação nestes termos: "É provável que, quando era mais jovem, você tenha ouvido muitas vezes: 'Escute, garoto, o negócio é o seguinte: a vida não gira em torno de você. A vida não é o que você quer. O que você quer não importa. A vida é fazer o que os outros esperam de você'. Se você aceitou essa idéia, mais adiante ficou se perguntando o que aconteceu com seu entusiasmo. Para onde foi seu interesse pela vida?"

Faça a si mesmo as seguintes perguntas: Eu me sinto bem comigo mesmo no fim do dia? Tenho orgulho da minha liderança hoje? Tenho aquela sensação maravilhosa que todos temos quando o dia foi ótimo e sentimos que acertamos na mosca? Se tenho, essa opinião é vital (e visível) para as pessoas que quero motivar.

Se você puder construir conscientemente esse nível de confiança em si mesmo como líder, então poderá dar estabilidade à sua carreira. É daí que vem a verdadeira estabilidade, principalmente nessa era de mudanças externas tão rápidas.

O mercado muda, toda área de atuação profissional muda, o mundo inteiro muda. Todas as manhãs, quando abrimos o jornal, alguma coisa essencial está diferente. Alguma coisa importante nunca mais será a mesma.

Essas mudanças rápidas são assustadoras para pessoas instáveis. Elas gostariam que as coisas permanecessem sempre iguais. Mesmo que a empresa apresente um novo plano de remuneração, novos preços aos clientes, novas formas de contratação, ou qualquer outra coisa que possa trazer futura estabilidade, perco o sono à noite. Mudanças acontecem.

Alguma coisa motiva mais as pessoas do que estar na presença de um líder com estabilidade interior e auto-estima?

Construímos a auto-estima aos poucos, assim como os atletas desenvolvem a força. Eles não fazem isso da noite para o dia, mas dia após dia, acrescentando um pouco mais de peso nas barras, uma distância um pouco maior na corrida. Logo se tornam atletas magníficos, poderosos, maravilhosos.

O mesmo acontece com a liderança; o desenvolvimento é o mesmo. Um pouco por dia, uma comunicação um pouco melhor, uma delegação um pouco melhor, um pouco mais para servir na liderança, uma disposição um pouco maior para ouvir. Melhorando 2%, talvez 4%. Não mais que isso.

Mas é algo consciente e inspirador.

56. Não queira estar sempre certo

Preciso seguir as pessoas. Não sou o líder delas?

– Benjamin Disraeli

Uma coisa que acontece com muitas das pessoas com as quais trabalhamos todos estes anos é que, quando são promovidas a uma posição de gerência, sentem que é importante todos acharem que *elas sabem o que estão fazendo.*

Então distorcem essa idéia e a transformam na necessidade de estar sempre certas. Pensam que os outros só vão admirá-las se estiverem certas nas coisas, mas agindo assim dificultam muito para si próprias o tratamento atencioso, humano para com as pessoas de sua equipe.

Esses indivíduos acham muito difícil admitir que estão errados e dizer aos outros: "Sabe de uma coisa? Você tem razão".

Um líder realmente forte, motivador, que é admirado e respeitado, é aquele que *não tem* que estar sempre certo. É muito mais poderoso dizer a alguém: "Sabe, agora que você me disse isso, percebi que está certo. E vou tomar providências". Esse é um indivíduo que motiva os outros.

Porque, no fim das contas, estar certo não importa. O que importa é realizar alguma coisa. Posso estar errado em tudo, quase todos os dias, e mesmo assim ser um líder admirável. Por quê? Porque desperto em meus funcionários o que há de melhor em cada um. Eu lhes ensino a tomar decisões. Desperto neles a força, a lealdade e o alto desempenho, e todos os números convergem em minha direção.

57. Acorde

Muita gente anda pensando mais em segurança que em oportunidade. Essas pessoas parecem ter mais medo da vida que da morte.

– James F. Byrnes, secretário de Estado

As mudanças amedrontam o meu pessoal no mesmo grau em que amedrontam a mim.

Por isso, outra maneira de construir conscientemente a minha força interior como líder é aprimorar a minha percepção do que é a vida, do que é o mundo e do que é o meio empresarial. Quando me conscientizo disso, me torno um líder melhor.

Não quero enfiar a cabeça num buraco e dizer: "Mas é assim que fazemos há vinte anos". Não quero ser aquele que todos ouvem dizer: "Não vou pensar nisso, não quero saber se algo mudou. Só quero que tudo seja como sempre foi, quero que as pessoas sejam como eram".

Porque, se eu não quiser entender como as pessoas são hoje em dia, principalmente as mais jovens, e como vêem a vida, minhas habilidades de liderança sofrerão um declínio com o passar dos anos, e logo me tornarei quase inútil.

Como escreve Nathaniel Branden em *Auto-estima no trabalho*:

> Vivemos hoje em uma economia global, caracterizada pela mudança rápida, ágeis avanços científicos e tecnológicos e um nível de competitividade sem precedentes. Esses desenvolvimentos exigem níveis mais altos de educação e treinamento do que os que eram exigidos das gerações anteriores. Qualquer pessoa acostumada com a cultura empresarial sabe disso. O que não se compreende é que esses desenvolvimentos também criam novas exigências sobre nossos recursos psicológicos. De modo específico,

exigem maior capacidade de inovação: 1) autogerenciamento; 2) responsabilidade pessoal; 3) autodireção.

Houve uma época em que os líderes eram liderados por outros líderes, gerentes eram gerenciados por outros gerentes e não havia muita flexibilidade entre eles. Diziam-nos o que fazer, então nós dizíamos aos outros o que fazer, e era basicamente um sistema hierárquico, militarizado.

Mas hoje as coisas são complexas e sempre mutáveis – é como se alterássemos as táticas de jogo o tempo todo, em vez de jogar de verdade. Assim é a vida hoje em dia.

A vida passou por mudanças profundas. E continuará mudando ainda mais rápido, com o passar do tempo. Essa é uma boa notícia para o líder comprometido em estar cada vez mais desperto para isso.

58. Mostre a eles sempre

Eu ouço e esqueço. Eu vejo e me lembro. Eu faço e entendo.

– Confúcio

Muitos esportistas excelentes são promovidos a técnicos de times, mas não dão certo na nova função. Às vezes, eles simplesmente não são bons nisso.

E há um motivo nada misterioso. Apenas não *sabem* exatamente por que eram excelentes jogadores. Boa parte do que faziam como jogadores era intuitiva e subconsciente. Era pura questão de *sentir.* Assim, acham muito difícil ensinar e comunicar isso aos outros, *porque nem eles sabem o que era.*

O melhor técnico de beisebol de todos os tempos foi Charlie Lau. Ele ensinou a um jogador chamado George Brett como rebater. E George foi um dos maiores rebatedores de todos os tempos. Era magnífico, tendo uma média de acerto excelente o tempo todo. Mas Charlie Lau – seu técnico, instrutor, professor – teve uma média bem menor que a dele durante a vida toda! Charlie Lau era, na melhor das hipóteses, um rebatedor medíocre.

Mas, como teve de se empenhar muito para permanecer no jogo, para garantir seu emprego, ele aprendeu tudo sobre como rebater. Tornou-se extremamente consciente de como a coisa era feita. Por isso, sabia ensinar muito bem.

Assim, quando você perceber algo que o seu pessoal não está fazendo tão bem quanto você gostaria que fizesse, *mostre a eles* como fazer. Pegue o taco de beisebol e mostre-lhes como rebater.

Christina queria a nossa opinião a respeito de um problema que ela estava enfrentando com sua equipe.

"Eles não são muito bons para lidar com os clientes", ela disse. "Acho que perdem muitos negócios assim."

"Diga-nos como você gostaria que eles fossem."

"Bem, penso o seguinte", disse Christina. "Aposto que, se eles conversassem com os clientes de modo um pouco diferente, fizessem mais perguntas, se interessassem mais pela vida deles, descobririam outras áreas nas quais poderiam lhes prestar assistência. Descobririam áreas para as quais poderíamos fornecer um produto ou serviço que ajudaria o cliente. Mas, em vez disso, eles apenas vendem coisas às pessoas e pegam pedidos. As nossas vendas não são tão altas como poderiam ser se eles se mostrassem mais interessados pelo cliente."

"O que você tem feito a respeito disso?"

"Primeiro, enviei por *e-mail* a minha opinião, mas não deu muito certo", Christina respondeu.

"Não daria mesmo."

"Pois é", ela disse. "Depois, chamei alguns deles e disse: 'Quero que a sua equipe faça mais isso e aquilo!'."

"Deu certo?"

"Não."

"O que mais você fez?"

"Falei com o RH", ela contou. "Disse ao RH que precisávamos de treinamento para isso. Relacionamentos. *Upsell.*[*]"

"E como foi o treinamento?"

"Ainda estou esperando", Christina respondeu. "Estou aguardando uma resposta ao meu pedido."

"Christina, faça isso você mesma! Um verdadeiro líder, um líder poderoso, que está conscientemente motivando os outros a ter um ótimo desempenho, *mostra ao seu pessoal* como fazer as coisas. O verdadeiro líder sabe o que quer que sua equipe faça, e demonstra como fazer."

Mais tarde, nos sentamos para observar Christina enquanto ela conversava com sua equipe.

"Olhem, vou trabalhar com vocês hoje", ela disse. "Quero conversar com os clientes que chegarem. Quero apenas que vocês me auxiliem, estejam presentes, façam perguntas, caso pensem em algumas. Mas vamos juntos – vocês e eu – conversar com alguns clientes quando eles entrarem."

Christina aprendeu a *mostrar* às pessoas o que gostaria que elas fizessem. Ela compreendeu que a melhor maneira de comunicar é fazendo. Esse era o seu novo ponto de alavancagem, e foi assim que seus funcionários se animaram e compreenderam rapidamente o que tinham de fazer.

Se você apenas diz ao seu pessoal: "Quero mais de tal coisa, vocês têm que melhorar nisso", as instruções simplesmente entram por um ouvido e saem pelo outro. Ou, pior ainda, isso pode colocar as pessoas na *defensiva*, levando-as a se justificar

[*] Persuadir o cliente a comprar mais produtos; vender algo com incrementos, acessórios etc. Uma espécie de venda de elementos adicionais que, em alguns casos, o cliente não havia pensado em adquirir. (N. do T.)

por não estarem fazendo o que você pediu. Pode levar as pessoas a dizer: "Não tenho tempo para isso".

Para motivar de verdade, fale menos e demonstre mais.

59. Focalize como uma câmera

A maioria das pessoas de sucesso que conheço
é do tipo que escuta mais e fala menos.

– Bernard Baruch

Queremos apresentar aqui uma forma de liderança que só encontramos em um em cada dez líderes com os quais trabalhamos.

Nós a chamamos de *liderança focada*. É a habilidade do líder de estar absolutamente focado. E não estamos falando de uma concentração intensa, pesada, como se você forçasse algo. É o oposto disso. É um sentido muito mais descontraído de foco.

O que queremos que você faça é imaginar uma câmera: você está olhando através dela e tudo parece embaçado; se você ajustar com cuidado o foco, não precisa sacudir nem forçar o equipamento. Basta movê-lo delicadamente para um lado ou outro e, de repente, a imagem entra em foco. A mesma coisa pode ser feita com a sua *perspectiva* como líder.

Uma pessoa entra no seu escritório, se senta e percebe que você está começando a focá-la como uma câmera, porque o seu botão interno de foco está lentamente fazendo ajustes até essa pessoa ser totalmente focalizada, de maneira delicada e descontraída. Agora, você pode respirar fundo e dizer: "Diga-me o que você está pensando. Vamos conversar sobre isso".

Seu funcionário vai detectar esse foco descontraído e gentil e se sentir honrado por ele. Ele vai pensar o seguinte de você: *Neste exato momento, é como se fôssemos as duas únicas pessoas no mundo. Parece que estamos numa ilha deserta e temos todo o tempo do mundo.*

E você vai pensar: *Estou escutando você, e juntos vamos resolver isso. Mas não com pressa, não porque é nossa obrigação, e sim porque a nossa conversa vai nos conduzir por esse caminho. Um caminho que respeite você, que o reconheça, que o ouça. Vamos trocar idéias. Vou lhe fazer algumas perguntas e descobriremos o que os dois pensam a respeito do assunto. Não vou lhe dizer o que fazer. E não tenho um plano secreto, escondido, para lhe revelar pouco a pouco enquanto conversamos. Estou totalmente aberto e focado como uma câmera.*

E você é um excelente líder.

Você já conhece o outro tipo de líder, aquele que não é tão bom. O líder que chega para uma reunião com seu *palmtop* e, enquanto participa dela, responde aos *e-mails*, olha o celular a cada dois ou três minutos para ver quem está ligando e, ao mesmo tempo, tenta estar presente à reunião.

Ele está pensando e fazendo várias coisas ao mesmo tempo, mas não está focado. Qualquer pessoa que se depare com esse líder se sente diminuída pelo contato com ele.

Conversamos com Richie sobre seu chefe, que estava se comportando dessa maneira.

"Sempre sinto que ele não tem tempo para mim", Richie disse. "É uma pessoa que preferiria não estar falando comigo naquele momento."

Esse "líder" sabe que, de certa forma, todas as cem pessoas com quem ele se comunicou naquela semana – por *e-mail*, *palmtop*, fax, telefone, pessoalmente, em encontros no corredor – foram desrespeitadas por seu comportamento. No fundo, esse gerente incapacitado sabe disso. Por isso se sente incomodado. Precisa consertar essa sensação de que há algo errado. Mas, em vez de desacelerar, ele acelera!

Certa vez, dissemos a um gerente que se comportava dessa maneira que ele devia usar um aviso impresso pendurado no pescoço.

"Como assim?"

"Você devia usar um aviso impresso, como aquelas pessoas em centros de tratamento, que estão tentando resolver um problema pessoal. O seu aviso seria: NÃO TENHO TEMPO PARA VOCÊ."

Ele ficou quieto.

"Devia também programar um *e-mail* de resposta automática às pessoas, dizendo: NÃO TENHO TEMPO PARA VOCÊ."

"Por que eu faria isso? Jamais poderia fazer isso", ele disse.

"Você está fazendo agora. Está enviando essa mensagem. Se fizesse isso claramente, seria mais sincero."

Quando instruímos as pessoas a se abrirem e focalizarem os outros como uma câmera, isso as ajuda a ganhar tempo. Pois gerenciar uma equipe motivada e confiante leva muito menos tempo do que lidar com uma equipe desmoralizada e aborrecida.

60. Pense que gerenciar é fácil

Pense sempre que o que você tem a fazer é fácil, e acabará sendo.

– ÉMILE COUÉ, PSICÓLOGO

Um pensamento é mais que um pensamento, ele cria a sua realidade.

A função do pensamento na gerência de pessoas e resultados não pode ser subestimada. O que você *pensa* que é difícil no seu trabalho torna-se mais importante do que a "realidade" interpretada acerca desse trabalho.

Se você pensa que motivar as pessoas é difícil, então é. Não há diferença. Como dizia Shakespeare: "Nada é bom ou ruim, mas o pensamento torna as coisas assim".

Se você pensa que é difícil e desconfortável falar ao telefone, então é. Se pensa que se sente descontraído e feliz quando fala ao telefone, então é isso que acontece.

É importante perceber o poder do pensamento no mundo da liderança. Se você tem pensamentos que o deprimem, não vai ter um bom dia para lidar com as pessoas. A liderança exige altos níveis de humanidade. Para sermos grandes líderes, precisamos compartilhar nossa humanidade e receber a humanidade das pessoas o dia todo.

Você pode ser um líder que sabe motivar os outros. A chave para isso é o pensamento.

Quando Napoleon Hill escreveu *Pense e enriqueça*, a mensagem que ele quis transmitir era a de que você pode pensar e se ver em uma posição perfeita para ser bem-sucedido. Muitas pessoas seguiram suas instruções e conseguiram isso. E muitas delas não eram tão inteligentes quanto nós. Também podemos conseguir. Será que é fácil? Pode ser. Como o grande e renomado psicólogo Coué disse: "Pense sempre que o que você tem a fazer é fácil, e acabará sendo".

Uma coisa é certa: nada é tão difícil quanto você pensa.

61. Cultive o poder da confiança

Nas organizações, o poder e a energia reais são gerados pelos relacionamentos. Os padrões de relacionamento e a capacidade de formá-los são mais importantes que tarefas, funções, papéis e posições.

– Margaret Wheatley, consultora administrativa

Um dos bens mais valiosos que um líder pode acrescentar à vida de uma pessoa é a confiança.

Isso não é mencionado nos seminários sobre administração e gerência, o que é uma pena, pois não existe nada mais motivador do que uma saudável dose de confiança.

Quantos livros sobre liderança falam disso? Nenhum. Qual é a importância da confiança como ferramenta administrativa? É a *mais* importante de todas as ferramentas.

Quantas vezes ao dia você se pergunta: "Inspirei confiança durante aquela reunião?" Quantas vezes, antes de uma conversa, você se pergunta: "Como posso transmitir confiança a essa pessoa, para que ao sair ela tenha certeza de que tudo vai dar certo e que possui as habilidades certas para executar essa tarefa?"

Se você integrar a *confiança* à sua abordagem gerencial e ao seu sistema pessoal, as coisas vão mudar na sua equipe. O estado de espírito do seu pessoal mudará para melhor.

As pessoas procuram confiança em seus líderes. É simples assim. Mas, na maior parte do tempo, elas não têm essa sensação. Encontram, isso sim, o oposto. Ficam com a impressão de que a equipe está correndo contra o relógio e sob a mira de um revólver. A atitude e a linguagem do gerente são as seguintes: "Vocês têm que se mexer, mexam-se, mexam-se! Estou atrasado. Desculpe o atraso para a reunião com vocês". "Estou ao telefone e apertadíssimo com o horário; está tudo atrasado e isso aqui é uma loucura."

O problema dessa mensagem é que ela não gera confiança. Quando você encena o caos e transmite um pensamento de crise, não pode haver confiança.

O conceito que combate tudo isso e cura essa atitude de uma vez por todas é o da confiança. Ponha esse conceito no topo da lista.

62. Elimine aos poucos a discordância

A melhor maneira de ter boas idéias é ter muitas idéias.

– Linus Pauling, cientista premiado com o Nobel

Quando você ouve uma pessoa no decorrer de uma reunião, ou mesmo em uma conversa só entre você e ela, uma das melhores coisas que pode fazer é parar de discordar.

Em outras palavras, atente para o valor do que o outro tem a dizer. Não escute com a intenção de concordar ou não, pois, sempre que discorda de um de seus funcionários, você o desencoraja e o deixa indisposto a expor opiniões.

Se estou sempre discordando de você, o que você faz? Começa a se defender, não é? Todos os seres humanos fazem isso. E você é humano. Portanto, ficará na defensiva. Não vai apenas dizer: "Ah, tudo bem, entendo a sua posição. Sim, você está certo e eu estava errado, agora está tudo bem. Estou me sentindo bem melhor agora. Você discorda de mais alguma coisa?" Isso não acontece.

Se você pretende discordar de alguém, aceite as conseqüências. A principal é: a disposição da pessoa sofre uma queda. E qual é a conseqüência disso? Ela não é capaz de realizar um bom trabalho. Ninguém trabalha bem indisposto. A energia se dispersa.

Entretanto, se você escuta o valor do que as pessoas têm a dizer, em vez de discordar, elas ficam animadas e dispostas. Quando você atenta para o valor do que as pessoas estão dizendo em uma reunião, em vez de só escutar para saber se concorda ou não, a disposição de todo o grupo cresce. Você pode influenciar a equipe inteira se tiver como política pessoal de liderança sempre procurar valor nas palavras das pessoas.

A maioria dos gerentes não faz isso. A maioria espera a pessoa falar e então diz: "Não, não é assim. Não concordo com isso". Depois, eles não entendem por que o funcionário se sente desvalorizado. Mas foi essa obsessão pela discordância que o levou a se sentir assim.

Se uma pessoa se sente tola, como pode se sentir motivada? Será que alguém pensa: *Tudo bem, você me fez sentir um idiota, mas agora estou pronto para trabalhar melhor. Estou me sentindo um tolo, então vamos mandar ver?*

A maioria dos gerentes nos diz: "Bem, se discordo, discordo. Não é nada demais, só uma discordância".

Certo, mas, toda vez que você discorda, desafia uma pessoa e a faz se sentir tola – essa é a conseqüência. Às vezes, você *tem* que discordar. Mas, quanto menos fizer isso, melhor será a sua equipe para você e mais motivadas estarão as pessoas.

63. Continue aprendendo

Líderes se desenvolvem, não são feitos.

– Peter Drucker

Permaneça na curva do aprendizado. E deixe o seu pessoal ver que você está aprendendo. Não demonstre a eles uma atitude de "sabe-tudo".

Deixe claro que você é uma obra em andamento. Assim, eles se sentirão mais à vontade para procurá-lo e apresentar idéias.

Os gerentes, na maioria, são tão inseguros em sua função que tentam continuamente demonstrar que sabem tudo. Nunca vão a seminários. Menosprezam o livro mais recente sobre teoria da administração. Mas essa atitude é realmente desmoralizante para seus seguidores.

Todos podemos aprender algo novo sobre a nossa profissão, todos os dias. Aos poucos, podemos aumentar a nossa base de conhecimentos, e isso, por sua vez, aumenta a nossa força profissional e a nossa capacidade de ajudar os outros.

Felicidade é crescimento. Somos felizes quando crescemos. E pessoas felizes são mais motivadoras e motivadas que pessoas infelizes.

64. Aprenda o que não é liderança

Os grandes líderes são como os melhores maestros –
vão além das notas para alcançar a magia nos músicos.

– Blaine Lee, consultor administrativo

Os gerentes cometem um grande erro quando se tornam mandões. É um sinal de insegurança fazer com que os outros se lembrem o tempo todo de que você é o chefe.

Você pode tomar decisões, ser corajoso e responsabilizar as pessoas sem ser controlador nem mandão.

Dee Hock, fundador e CEO emérito da VISA International, explica: "Controle não é liderança; gerenciamento não é liderança; liderança é liderança. Se você quer liderar, invista pelo menos 50% do seu tempo liderando a si mesmo – o seu propósito, ética, princípios, motivação, conduta. Invista pelo menos 20% para liderar aqueles que têm autoridade sobre você, e 15% para liderar os colegas. Se você não compreende que, na verdade, trabalha para aqueles chamados equivocadamente de seus 'subordinados', então não sabe nada de liderança. Só conhece a tirania".

Essas são palavras fortes para os mandões. Mas os tiranos nada sabem sobre a natureza humana, principalmente nos dias de hoje. Todos os nossos funcionários são pensadores. Não são robôs. O velho estilo de liderança militarizada não é mais apropriado. Não é mais liderança.

Como os bons maestros, os líderes de hoje encontram a magia em seus músicos.

65. Escute as pessoas

Eu me divirto mais e tenho mais sucesso financeiro
quando paro de tentar conseguir o que quero e
ajudo os outros a conseguir o que querem.

– Spencer Johnson, autor de livros de negócios

Como sabemos que tipo de líder você é?

Há um jeito muito rápido de descobrir. Basta perguntar às pessoas que são lideradas por você. Elas sabem. E o que elas dizem é verdade. Você é quem *essas pessoas dizem* que é.

Então, escute-as! Compreenda-as. As pessoas são altamente motivadas por quem as ouve; por você, que entende os problemas delas. Esteja sempre atento.

Nas palavras de Thich Nhat Hanh: "Quando estamos atentos, notamos que a outra pessoa está sofrendo. Se uma pessoa sofre, ela precisa conversar com alguém para se sentir um pouco aliviada. Temos que oferecer nossa presença e escutar atentamente a pessoa que sofre. Essa é a prática do amor – escutar com atenção. Mas, se estamos cheios de raiva, irritados e com preconceitos, não temos a capacidade de escutar atentamente as pessoas que amamos. Se elas não puderem se comunicar conosco, sofrerão ainda mais. Aprender a escutar é nossa responsabilidade. Somos motivados pelo desejo de aliviar o sofrimento. É por isso que escutamos. Precisamos escutar com todo o nosso coração, sem a intenção de julgar, condenar ou criticar. E, se escutarmos atentamente durante uma hora, estaremos praticando o verdadeiro amor. Não precisamos dizer nada, só devemos escutar".

Para ajudar os seus funcionários a conseguir o que querem, esteja atento a eles e os escute até descobrir o que realmente desejam. Então, faça com que as metas deles se encaixem nos objetivos da equipe. Mostre-lhes que há conexão. É assim que a motivação duradoura finalmente acontece.

66. Não se leve tão a sério

O instinto de liderança com o qual você nasce é a espinha dorsal. A partir daí, você desenvolve o osso da graça e o osso do desejo.

– Elaine Agather, CEO do banco JPMorgan

As pessoas mais motivadas com as quais trabalhamos não se levam tão a sério.

Aquelas que se esforçam demais vêem o próximo sucesso da empresa como se fosse a próxima prestação do financiamento de sua casa ou como aquilo que mantém seu casamento.

Os gerentes mais criativos, produtivos e inovadores vêem os negócios como um jogo de xadrez, disputado por diversão e desafio. Eles imaginam todo tipo de movimento fascinante e contra-estratégia. E, quando "perdem", arrumam as peças de novo para jogar com ânimo renovado.

Os indivíduos mais fracassados e infelizes no trabalho são aqueles que levam tudo muito a sério. São desanimados e amargurados. Usam apenas 10% do cérebro o dia todo. O cérebro dessas pessoas, tão grande na infância, hoje está enrijecido e contraído, devido ao ressentimento e à preocupação.

Eis o que as pessoas excessivamente sérias perdem: a diversão, a criatividade, as idéias animadas, a intuição, o bom espírito, a energia tranqüila e o riso sincero que aproxima as pessoas. Perdem tudo isso. Não é à toa que fracassam no que fazem.

Sempre que levamos uma coisa muito a sério, encontramos meios sutis e inconscientes de fugir dela o dia todo. Secretamente, somos como crianças. Resistimos à seriedade.

O mais respeitado estudioso da liderança organizacional dos Estados Unidos, na atualidade, é Warren Bennis. No livro *A formação do líder*, ele enfatiza a diferença entre um líder e um gerente: "O líder inova, o gerente administra. O líder enfoca as pessoas, o gerente enfoca os sistemas e a estrutura. O líder inspira, o gerente controla. O líder é uma pessoa, o gerente é um soldado. O líder vê a longo prazo, o gerente vê a curto prazo".

G. K. Chesterton disse certa vez que os anjos só conseguem voar porque não se levam tão a sério.

Dizemos o mesmo dos líderes.

67. Cumpra suas menores promessas

As coisas grandiosas não são feitas por impulso,
mas por uma série de pequenas coisas colocadas juntas.

– Vincent van Gogh

As pessoas são motivadas por indivíduos em quem confiam.

A confiança dos seus funcionários não é difícil de obter. Você pode conquistá-la. E, como ela é muito importante se quiser motivá-los, você precisa conquistá-la.

Assim, você nunca deve se atrasar para as reuniões. Jamais. Para 70% dos seus funcionários, isso destruirá toda a confiança construída entre vocês, porque significa que eles não podem contar com você e com a sua palavra.

Nós explicamos isso a Jeff depois de trabalhar com sua equipe por algum tempo e notar que ele não cumpria suas "pequenas" promessas.

"Ora, isso não é nada!", Jeff disse. "Eu me atraso um pouco ou esqueço de arranjar um cartão de estacionamento para alguém, mas e daí? Sou um cara que vê o quadro geral. Não me apego a detalhes."

"É a sua palavra, Jeff. Se você não consegue cumprir sua palavra nas coisas pequenas, ninguém confiará nela para as coisas grandes."

"Bem", disse ele, "o que posso fazer? Tornar-me alguém que não sou? Fazer um transplante de personalidade? Tomar alguma droga para me deixar focado?"

"Você tem que cumprir tudo que prometer a seus funcionários, e quando prometer. Se disser que vai ligar amanhã, deve ligar. Se disser que vai providenciar os documentos até sexta-feira, deve fazer de tudo para conseguir isso. Sua palavra é tudo. A confiança é uma coisa que você ganha não só pelas grandes coisas, mas também pelas pequenas. Aliás, mais ainda pelas pequenas."

68. Dê poder à outra pessoa

Quando estou me preparando para convencer uma pessoa,
passo um terço do tempo pensando em mim, no que vou falar,
e dois terços pensando na pessoa e no que ela vai dizer.

– Abraham Lincoln

Quando estou em posição de liderança, sempre há um medo oculto na pessoa que estou liderando e com a qual vou conversar.

Se eu não compreender esse medo, terei muita dificuldade para entrar em acordo com ela. E motivação tem tudo a ver com "entrar em acordo".

O meu objetivo é convencer o meu pessoal a trabalhar comigo. Talvez eu queira que eles concordem comigo que o desempenho precisa ser melhorado, ou que determinada tarefa precisa ser completada, ou que precisam se comunicar comigo de maneira diferente, ou que devem tratar melhor o cliente. Em todos esses casos, eu preciso de um acordo.

Mas há um motivo (e você já sabe qual é... medo) para a pessoa do outro lado ser resistente e não concordar comigo. Quando compreendemos esse motivo, somos capazes de criar acordos mais rapidamente.

O foco do meu entendimento deve sempre ser este: Como posso tirar o medo desta pessoa?

Os bons hipnotizadores dizem que não é possível sequer começar a trabalhar com um indivíduo que não consiga relaxar. Quando a pessoa não está relaxada, não se abre à influência, seja hipnótica ou de qualquer outra espécie.

A maioria dos gerentes que tentam entrar em acordo com outras pessoas acaba *aumentando* o medo delas ao longo da conversa. Como, então, se pode criar um acordo de maneira que não piore o medo do funcionário e que não o torne resistente, numa atitude de autodefesa?

Fazendo perguntas. Porque as perguntas valorizam os pensamentos e sentimentos dele.

Quando as pessoas temem a perda de poder e equilíbrio e se mostram resistentes (com objeções, na defensiva etc.), isso parece força! Temos esta impressão: "Aí está uma pessoa decidida! Aí está uma pessoa que sabe o que diz. Aí está uma pessoa que não se deixa intimidar".

Mentira. Aí está uma pessoa *assustada*!

As pessoas não querem comprar a sua idéia. *Elas querem se vender.* Querem que seja idéia *delas* fazer as coisas, não sua. Esse é o segredo da motivação.

Digamos que você queira que um de seus funcionários lhe devolva os formulários com mais pontualidade. Se você falar com ele de maneira agressiva e disser: "Sabe de uma coisa, preciso falar com você. Não recebi seus formulários no prazo certo", sabe o que acontece?

Defensiva e medo: "Eu não tinha como entregá-los no prazo, porque o nosso computador ficou sem funcionar por dois dias. Na verdade, o pessoal está fazendo o que pode, e fazendo muito bem, se considerarmos as condições neste escritório. Estamos indo muito bem, aliás, melhor do que se poderia esperar aqui".

Seu funcionário está justificando o que aconteceu, porque ele tem medo de ser mal interpretado, de ser demitido porque não consegue entregar os formulários em dia. E a única coisa que você fez – seu único erro – foi se expressar de maneira agressiva, apertando o botão do medo, despertando esse receio e fazendo-o se defender.

E, se você nada sabe sobre o medo e não imagina o que está acontecendo, provavelmente vai apertar *mais* botões, em resposta a essa atitude do funcionário. Pode até dizer: "Sabe de uma coisa, o mesmo sistema de computadores falhou em outro departamento do outro lado da cidade, mas *eles* conseguiram entregar os formulários em dia".

E agora seu funcionário está mais amedrontado ainda, mais ansioso. "Sim, mas eles têm uma equipe maior. Somos poucos aqui. Sempre tivemos pouca gente."

Quanto mais você pressionar, mais ele vai recuar. Quanto mais defensivo você for, mais defensivo ele será também. E, quanto mais defensivo ele for, menores serão as chances de entregar os formulários em dia na próxima semana, que era o que você queria. Você queria algo que você mesmo tornou impossível.

Essa dinâmica de pressionar e recuar compromete casamentos, atrapalha carreiras e transforma a vida do gerente em um tormento.

O que o gerente pode fazer é, com perguntas gentis, conduzir seus funcionários a pensar, falar e estabelecer novos compromissos. É assim que a motivação acontece.

69. Não se esqueça de respirar

Em guerra ou em paz, o homem precisa de toda a inteligência que tiver. Inteligência nunca é demais. Ela vem do oxigênio. O oxigênio vem dos pulmões, para onde vai o ar quando respiramos. Ele entra no sangue e vai até o cérebro. Qualquer pessoa, por mais tola que seja, pode duplicar o tamanho dos pulmões.

– George S. Patton

Scott Richardson nos lembra da importância da respiração para o líder que quer alcançar sucesso. Sim, respirar. Não se esqueça de respirar:

Meu primeiro mentor e professor de música, Rodney Mercado, nunca mencionou isso. Nunca falamos disso, mas eu o observava, imitando-o e seguindo seu exemplo.

Quando Mercado tocava um instrumento, tomava fôlego e respirava mais fundo e mais vezes que qualquer outro ser humano que eu já tivesse visto. Então, embora ele nunca tivesse falado nisso, deduzi que, se funcionava para ele, eu deveria fazer a mesma coisa. E desde aquela época aprendi como a respiração é importante para nossa energia, nosso foco e nossa concentração.

Eu respirava fundo pouco antes de começar a tocar violino e expirava enquanto manejava o arco. Quando mudava o toque do arco, respirava de novo, entrando em sintonia com a música que executava naquele momento. Faço isso até hoje.

Colocar tal energia e *intensidade* (palavra favorita de Mercado) na execução da música produzia aquele resultado que mexia com as pessoas que a ouviam.

Como líderes, nossa energia e intensidade são monitoradas pelos nossos seguidores. Eles inspiram muitos de seus sutis traços psicológicos na nossa atitude: nossos movimentos e expressões (ou a falta deles).

É por isso que precisamos aprender a respirar fundo e a liderar. Para realmente chegar lá e guiar com entusiasmo. Para gerar empolgação e depois respirar de novo, mais fundo ainda. A palavra "inspirar" significa literalmente respirar.

Não podemos ficar parados o dia todo, respirando mal atrás da nossa mesa ou em frente ao computador. Isso não inspira ninguém.

70. Saiba que você tem tempo

Comece fazendo o necessário, depois o possível,
e de repente estará fazendo o impossível.

– São Francisco

A maioria dos gerentes faz coisas pequenas o dia todo. Começam o dia fazendo todas as coisas fáceis. Revêem várias vezes seus *e-mails.* Perguntam a si mesmos, de maneira subconsciente: *Que tarefas pequenas posso fazer que não sejam difíceis? O que posso fazer para que eu pareça um gerente de verdade, enquanto tento descobrir o que precisa realmente ser feito? Se alguém estivesse me observando, diria que estou fazendo o que um gerente deve fazer? Estou fazendo o que tenho que fazer; isso teria que ser feito cedo ou tarde.*

Mas um líder motivador tem a capacidade e a oportunidade de viver a vida de maneira diferente, de aproveitar o tempo para viver segundo uma escolha racional de prioridades e não de sentimentos, de deixar a infantilidade para trás.

O segredo é aproveitar o tempo.

O que impede essa prática é a idéia de que o tempo está passando, de que não há tempo suficiente no dia. Mas você pode aprender a se apoiar neste fato: todos nós temos 24 horas por dia. Não importa se você é rico ou poderoso, ainda tem apenas 24 horas, nem um minuto a mais.

O sol se levanta e se põe para todos da mesma maneira. Por isso, não há sentido em dizer: "Não tenho tanto tempo quanto as outras pessoas. Adoraria fazer isso, mas não tenho tempo". Isso não é verdade.

Só você pode desacelerar o ritmo da sua vida, fazendo suas próprias escolhas. E, quando age assim, fica muito mais fácil motivar e ensinar os outros a fazer o mesmo.

71. Use o poder dos prazos

A melhor maneira de prever o futuro é criá-lo.

– Peter Drucker

Estabeleça um tempo-limite para as suas solicitações. Se não houver um limite estabelecido, crie-o.

Se você precisa de um relatório de alguém, finalize o pedido perguntando: "Você consegue me entregar isso até o fim da tarde de quinta-feira?"

Vários dicionários descrevem *prazo* como um período de tempo durante o qual uma coisa deve ser feita. O termo em inglês para *prazo* (*deadline*) significa literalmente *linha morta*, ou "uma linha que não se move", ou ainda, num sentido antigo, "uma linha em torno de uma prisão militar que um prisioneiro não podia ultrapassar, sob o risco de *levar um tiro*".

O prazo, portanto, dá a idéia de uma linha que, se ultrapassada, resulta na morte de uma pessoa ou de um projeto! Prazo implica ação. Quando você quer que as pessoas entrem em ação, lhes dá um prazo.

Se você pedir algo e não mencionar uma data-limite, não terá nada concreto para cobrar a pessoa responsável pela tarefa. Sem definir o tempo, você tem uma ação "esperada" e "desejada" suspensa no espaço. As pessoas só são motivadas quando usamos *tanto* o espaço *quanto* o tempo. O contínuo espaço-tempo é o melhor amigo do motivador.

Certa vez, estávamos escrevendo um livro sem pressa quando a editora ligou para impor que entregássemos o manuscrito no prazo de um mês, para que o livro pudesse entrar no catálogo antes das vendas de final de ano. De repente começamos a correr, escrevendo e revisando vinte horas por dia, até entregarmos o manuscrito pronto à editora. Aquele acabou sendo o melhor livro que já escrevemos.

Sem prazo, não há meta, mas apenas um pedido vago que contribui para aumentar a confusão no trabalho. Você faz um favor às pessoas quando estabelece um limite de tempo para o seu pedido ser finalizado. E, se o prazo for muito apertado, sempre é possível negociá-lo. Encoraje as pessoas a participar. Não importa *quem* estabelece o prazo, o importante é que ele exista. E deve ser claro, definido e completo.

A maioria dos gerentes não faz isso. Eles têm centenas de pedidos não atendidos atolando sua mesa de trabalho, porque não são priorizados. Esses pedidos estão sempre sendo adiados. Não é verdade?

Os prazos consertam tudo isso.

72. Traduza preocupação em interesse

As dificuldades devem despertar, não desencorajar.

– William Ellery Channing, teólogo

Com preocupações, os líderes não ajudam ninguém. A preocupação é um mau uso da imaginação.

Pratique converter a sua preocupação em interesse. Então, quando esse interesse ficar claro, crie um plano de ação para abordá-lo.

Se reagirmos aos nossos problemas nos preocupando com eles, reduziremos nossa disposição e energia e ficaremos com baixa auto-estima. Ser uma pessoa preocupada não é um bom autoconceito. Também não é inspirador para as outras pessoas ver o líder se preocupar.

Em vez de se preocupar, imagine algo que você pode realizar agora, alguma coisa incrível e ousada, inspirada pelo tal "problema". O desenvolvimento desse hábito eleva a auto-estima, aumenta os níveis de energia e, ao mesmo tempo, o amor pela vida.

As pessoas são mais motivadas por indivíduos apaixonados pela vida do que por aqueles que se preocupam o tempo todo com ela.

73. Deixe a mente controlar o coração

Se você não pensar no futuro, não o terá.

– Henry Ford

Os gerentes que encaram a vida como se ainda fossem crianças, ou como adultos vivendo questões não resolvidas da infância, não são capazes de se concentrar em seus funcionários, seus clientes ou na busca por prosperidade.

A liderança exige que o lado esquerdo do cérebro, lógico e apto a resolver problemas, domine o lado direito. Requer um intelecto arrojado, disposto a resistir a todas as queixas da equipe (reais e imaginárias). Requer entusiasmo por encontrar um novo caminho para as soluções.

A liderança exige que o mestre de xadrez dentro de você se encarregue do pensamento e dos processos de tomada de decisão o dia todo.

Liderar implica tomar decisões claras e sábias sobre como e onde você usa o seu tempo. Liderar pessoas implica fazer um uso *mais inteligente* do tempo, todos os dias. O grande mestre do xadrez Garry Kasparov vive de acordo com este lema: "Pense sete movimentos adiante".

Do ponto de vista intelectual, motivar os outros envolve o uso de engenharia reversa. Você decide o que quer e pensa de trás para frente. Comece pelo fim e trabalhe até chegar ao início. Tenha sempre o fim em mente quando conversar com a sua equipe ou fizer aquele telefonema.

Os melhores motivadores são os indivíduos mais conscientes do que estão fazendo. São contínuos pensadores, e sua equipe reconhece isso neles.

Ao longo do dia de hoje, faça uma reflexão. Pense no que você mais apreciaria se fosse membro da sua equipe. Pense em maneiras de se conectar e ganhar confiança. Pense naquele toque extra, naquele pequeno comunicado que você quer fazer. Pense no que quer perguntar.

Pense como um detetive. É um crime o seu empregado não apresentar o melhor desempenho. É um crime ele estar pensando em sair da empresa.

Solucione esse crime.

74. Construa uma cultura de reconhecimento

Eu sempre disse que, se fosse rico, contrataria um elogiador.

– Sir Osbert Sitwell, poeta

Uma maneira de motivar melhor os outros é mudar a pergunta que você faz a si mesmo todos os dias.

Em vez de "Como posso induzi-los a me aborrecer menos?", mude para "O que posso fazer de bom pela minha equipe para que ela faça *mais* o que eu quero?".

A maioria dos gerentes descobre o que está errado e então parte para a crítica. Eles procuram problemas e dizem: "Sabe de uma coisa, isso não pode ficar assim. Precisamos tomar uma providência. Não está bom desse jeito".

Essa abordagem, porém, causa ressentimento em quem recebe a crítica. O que funciona melhor é o reconhecimento e a apreciação, feitos da melhor maneira possível.

Assim, enquanto dirijo para o trabalho, digo a mim mesmo: "Estou propositalmente construindo uma cultura de reconhecimento – em que as pessoas se sintam reconhecidas por tudo que fazem. Elas se sentirão notadas, apreciadas e recompensadas. Quero que saibam que seus atos são vistos, considerados e celebrados. Essa é a cultura que vou criar para aumentar a produtividade".

Sempre que possível, quero reconhecer a minha equipe na frente de outras pessoas. E, se possível, quero reconhecê-la também diante de suas famílias. Talvez eu envie um prêmio ou um cartão do presidente da empresa à casa da pessoa. Quero que a família dela veja que ela está sendo valorizada.

75. Agarre a responsabilidade

Noventa e nove porcento das falhas vêm de pessoas que têm o hábito de inventar desculpas.

– George Washington Carver

"Gostaria que as pessoas assumissem responsabilidade aqui!", um dos advogados do escritório de Scott Richardson lhe disse. "Parece que estou gerenciando um bando de malabaristas, um jogando a peteca para o outro."

"Bem, você conversou com eles sobre o que é responsabilidade?", perguntou Scott.

"Na verdade, não", disse o advogado.

"Que tal se fizermos um breve jogo de palavras, por um segundo? Digo uma palavra e você me diz o primeiro termo que lhe vier à cabeça. Vamos?"

"Ai, ai, lá vem ele de novo..."

"Não, vai ser útil. Prometo."

"Tudo bem. Pode começar. Qual é a palavra?"

"Que palavra lhe vem à mente quando você ouve *responsabilidade*?"

"Obrigação", respondeu o advogado.

"Ótimo", disse Scott. "Agora vamos decompor a palavra 'responsabilidade'. Literalmente, significa habilidade de resposta ou habilidade de responder. Habilidade de fazer algo! Ser responsável é ser capaz de responder. Responsabilidade é só isso. Nada mais, nada menos. Não tem a ver com obrigação ou com um monte de outras palavras negativas a ela associadas, palavras que têm uma conotação intimidante, como fardo, dívida, culpa e assim por diante. Se você quer que os seus subordinados assumam responsabilidade, precisa entender e deixar claro para eles que responsabilidade não tem nada a ver com essas outras palavras. É simplesmente a habilidade de responder, de fazer alguma coisa. Diga ao seu pessoal que você acredita neles. Que sabe que eles têm a habilidade de responder a esse desafio e que os apóia nisso."

Steve Hardison é um extraordinário *life coach* com quem trabalhamos e sobre o qual escrevemos muito em livros anteriores. Hardison foi convidado para assistir à reunião de diretoria de uma empresa que ele estava pensando em assessorar, como *coach*. O primeiro tópico a ser discutido era: "De quem é a culpa por termos um sistema de computadores que custou cem mil dólares e é um lixo?"

O CEO se virou para um dos vice-presidentes e disse: "Joe, é sua culpa!"

Joe respondeu imediatamente: "Não é, não. Não fui eu que fiz as cotações. Foi o John!"

John reagiu em seguida: "Ei, espere aí! Não escolhi o vendedor. Foi a Rose que escolheu".

Rose protestou: "Não foi minha decisão. Eu só o recomendei a você".

E os presentes à reunião ficaram jogando a peteca um para o outro, sem assumir coisa alguma.

Por fim, Hardison fez um sinal para o CEO e interrompeu a reunião.

"Posso dizer uma coisa?", ele perguntou.

"Claro. O quê?"

"Eu sou o responsável pelo sistema."

"O quê?", gritou o CEO. "Nem conhecemos você! Como pode dizer uma coisa maluca dessas?"

"Bem", respondeu Hardison. "Alguém precisa assumir a responsabilidade."

"Ah, sim", replicou o CEO.

Tendo assumido a responsabilidade pelo sistema ruim, ele pôde levar adiante a conversa com o intuito de resolver o problema. Esse é o verdadeiro significado que encontramos ao decompor a palavra *responsabilidade*: habilidade de resposta, e não culpa.

Outro de nossos *coaches* afiliados começou como vendedor em uma empresa de tecnologia de ponta. Em menos de dois anos, ele era o CEO. Quando lhe perguntaram como conseguiu, disse: "Eu a considerava *a minha empresa*, desde o primeiro dia. Se visse um pedaço de papel no chão, eu o pegava ou chamava alguém para pegar. Se havia um departamento que não estava funcionando muito bem, me envolvia e o ajudava a funcionar, embora tecnicamente não tivesse nada a ver com o meu emprego. Depois de algum tempo, me convidaram para ser o CEO, mas muito antes eu já havia assumido responsabilidade pela empresa inteira".

Portanto, se você quer ser CEO algum dia, comece agora a assumir 100% de responsabilidade por toda a empresa. Nada pode motivar mais a sua equipe do que isso.

76. Tenha um *coach* você também

Um professor afeta a eternidade.
Ele nunca sabe até onde vai sua influência.

– HENRY B. ADAMS, HISTORIADOR NORTE-AMERICANO

Bons *coaches* costumam citar outros *coaches*, com os quais aprenderam.

Atualmente, a maioria dos grandes líderes empresariais (mais de 70%, de acordo com as pesquisas) tem um *coach*, que os encaminha a níveis de sucesso que, sozinhos, talvez não alcançassem.

O objetivo do processo de *coaching* é permitir ao indivíduo em posição de liderança descobrir suas forças ocultas e colocá-las em prática no dia-a-dia da empresa.

Todo grande ator, dançarino e atleta atribui grande parte do crédito pelo progresso de sua carreira ao *técnico* que o apoiou e o ensinou durante todo o caminho. No passado, nossa sociedade celebrava o conceito de *coaching* apenas no esporte e no meio artístico, porque eram áreas das quais se esperava excelência. Negócios eram apenas negócios.

Mas hoje em dia, graças ao crescimento da prática de *coaching*, o líder empresarial tem a mesma oportunidade que um atleta ou um ator de explorar os limites superiores de sua excelência. O *coaching* faz dessa oportunidade uma parte consciente da carreira do líder.

"Acredito totalmente que as pessoas não alcançam o máximo de sua capacidade sem um *coach*", disse Bob Nardelli, CEO da Home Depot.

Se você está em posição de liderança, esteja aberto a ter um *coach*. Não há valor nenhum em seguir sozinho só para provar que você é capaz.

77. Faça acontecer hoje

De que serviria a imortalidade para alguém
que não sabe usar bem meia hora?

– Ralph Waldo Emerson

A habilidade de motivar os outros é uma decorrência da importância que atribuímos ao dia de hoje.

O que podemos fazer *hoje*?

John Wooden foi o melhor técnico de times universitários de basquete até hoje. Seus times da UCLA (Universidade da Califórnia em Los Angeles) ganharam dez campeonatos nacionais em um período de doze anos. Wooden desenvolveu grande parte de sua habilidade como treinador e de sua filosofia de vida a partir de um único pensamento – uma única frase que ouviu de seu pai quando era garoto: "Faça de cada dia a sua obra-prima".

Enquanto outros treinadores tentam preparar os jogadores para jogos importantes no futuro, Wooden sempre se concentrou no presente. Seus treinos na UCLA eram tão importantes quanto o campeonato. De acordo com sua filosofia, não havia motivo para não fazer de hoje o dia mais orgulhoso de sua vida. Não havia motivo para não jogar tão bem hoje, no treino, quanto numa partida real. Ele queria que todo jogador fosse dormir pensando: "Hoje dei o melhor de mim".

A maioria das pessoas, porém, não quer viver assim. O futuro é onde está a nossa felicidade, por isso vivemos lá. O passado é onde encontramos a raiz dos problemas, por isso vivemos no passado. Mas tudo que já aconteceu de bom, aconteceu agora, neste momento. A liderança acontece agora também.

O segredo para liderar é a sua disposição para fazer coisas importantes – mas fazê-las agora. O dia de hoje é a sua vida inteira em miniatura. Você "nasceu" quando acordou hoje e "morrerá" quando for dormir. Isso foi definido assim para que você possa viver a sua vida inteira em um dia. Você ainda quer passar o dia dizendo à sua equipe que as coisas estão indo mal?

Quando os seus seguidores virem você fazer de cada dia uma obra-prima, eles assumirão essa atitude como um modo de vida e de trabalho.

78. Aprenda a coisa interior

A sua visão só se tornará clara quando você puder olhar dentro do seu coração. Quem olha fora apenas sonha; quem olha dentro também acorda.

– Carl Jung

A maioria dos gerentes e líderes na nossa cultura usa subconscientemente um modelo ocidental de guerra máscula para liderar. É um modelo ineficaz.

Scott estudou *kung fu* em Taiwan, e seu instrutor lhe ensinou a respeito das forças interiores existentes em todo ser humano, que podem ser utilizadas para alcançar coisas grandiosas. Quando se tornou advogado e consultor de destaque, Scott atribuiu ao treino em artes marciais boa parte de seu *insight.*

Scott relembra: Vi demonstrações em Taiwan e nos Estados Unidos de mestres do *kung fu* que conseguiam, por exemplo, apagar três velas. Eles colocavam um pedaço de vidro transparente entre o rosto e as velas, por isso não podiam soprá-las. E, em um movimento que parecia em câmera lenta, moviam o punho em direção à chama e, de uma distância de no mínimo trinta centímetros, a apagavam. Um dos meus amigos, que é faixa preta em caratê, viu a demonstração ao meu lado. Virou-se para mim e perguntou: "Scott, você estudou *kung fu*, não estudou?" Eu disse: "Um pouco". E ele: "Como eles fazem isso? Sou faixa preta em caratê e um dos nossos testes é apagar a chama de uma vela com nosso chute mais forte. Podemos nos aproximar ao máximo da chama. Tive de treinar horas para fazer isso. E é fisicamente impossível a uma distância de trinta centímetros, mesmo com o chute mais forte que consigo dar. Jamais faria isso com um golpe em câmera lenta. Como esses caras conseguem?" Respondi: "Bem, na verdade eles se baseiam em uma coisa chamada *ki*".

Neste exato momento, agora que pensei nisso, posso aumentar o *ki*, mudar ligeiramente a postura do meu corpo e praticar a arte marcial avançada do *aikido*, que é o que estou fazendo agora, tomando consciência disso.

Com qualquer atividade envolvendo o corpo, você pode praticar uma versão do *aikido*. Os princípios básicos para aumentar o *ki* incluem focar no seu ponto 1 e pensar nele. No *aikido*, eles ensinam que, se você focar sua atenção no seu ponto 1, que fica aproximadamente cinco centímetros abaixo do umbigo, estará automaticamente centrado.

É só isso que você tem de fazer. E pode aplicar isso também em uma reunião de equipe ou durante uma conversa individual sobre desempenho. Não há grandes mistérios.

O instrutor de *aikido* faz uma demonstração na qual diz: "Ok, foque no ponto 1", então aperta seu peito e você não cai, porque está centrado e forte. Em seguida, ele lhe dá um leve tapa no alto da cabeça enquanto empurra seu peito com a outra mão, e você imediatamente cai para trás.

Ele diz: "O que aconteceu? Sua percepção estava no ponto 1 e, por causa disso, não pude empurrá-lo. Depois, quando bati no alto da sua cabeça, o que houve? Sua percepção foi para lá e o empurrei sem o menor esforço".

Fiz essa simples demonstração ao meu pai – o maior cético do mundo – e ele disse: "Deve haver uma explicação física para isso". Mas não havia. Ele não tinha mexido um único músculo! Nada físico. Apenas foco. E essa foi a diferença entre ele estar firme no solo, centrado e forte, e depois perder o foco.

A maioria das pessoas no ambiente de trabalho não está centrada. Vivem o dia todo com a cabeça nas nuvens, e qualquer coisa que surgir na vida é capaz de derrubá-las, tirá-las do equilíbrio.

Como líder, você pode ser o modelo do indivíduo centrado. Pode irradiar a força vital estática, o *ki* dentro de cada um de nós. No seu próximo desafio gerencial, tente relaxar e permitir que uma força maior emane de você e envolva toda a situação. Logo você será famoso na sua organização, simplesmente por ser centrado.

79. Esqueça o fracasso

Uma vida passada cometendo erros não é apenas mais honrosa, mas também mais útil que uma vida passada sem fazer coisa alguma.

– George Bernard Shaw

Líderes de equipes altamente produtivas, principalmente em início de carreira, ficam obcecados com as falhas e com o fracasso. Encaram como algo pessoal uma conversa ruim com um funcionário problemático. Sentem-se magoados. Ficam deprimidos, zangados e começam a detestar sua profissão.

Mas logo vêem que o fracasso é somente um resultado. Não é ruim nem bom, apenas neutro. Pode ser convertido em algo bom se for estudado, pois é possível obter sabedoria dele. E pode ser convertido em algo ruim se for visto como pessoal.

O grande professor de lingüística S. I. Hayakawa dizia que existem dois tipos básicos de pessoas: aquelas que fracassam em algo e dizem "Fracassei nisso" e as que fracassam em algo e dizem "Sou um fracasso". As primeiras estão em contato com a verdade, as segundas não.

"Sou um fracasso!"

Essa afirmação nem sempre parece mentira para quem a ouve. Pode parecer uma forma triste de auto-aceitação. Na verdade, podemos associar esse exagero a uma confissão sincera: "Por que não admitir? Eu sou um fracasso".

Mas, em termos psicológicos, o que estamos ouvindo é a voz do medo. É o contrário da voz do propósito; é uma voz de rendição, de derrota interna: desistir antes de começar. (Derrota e fracasso externos podem até ser revigorantes. O técnico de futebol americano Woody Hayes costumava dizer: "Nada purifica tanto a alma quanto sofrer uma derrota daquelas".)

Você, como líder hoje, não deve se esquecer de um fato verdadeiro: não há nada errado com as pessoas. Elas têm dentro de si o poder de prosperar e crescer como excelentes profissionais. Conecte-se a essa verdade e mostre ao seu pessoal como deixar pensamentos do tipo "Eu sou um fracasso" na lata do lixo, que é onde deveriam estar.

80. Após a consulta, parta para a ação

Ação é eloqüência.

– Shakespeare

Scott trabalha como advogado há mais de vinte anos, teve seu próprio escritório de advocacia por dezessete e foi dono de outro, que vendeu nessa época. Hoje, ele tem quinze funcionários e é *coach* de outros advogados e executivos.

Scott diz: Não tenho a menor dúvida de que ser *coach* é uma coisa, estar no papel de CEO é outra totalmente diferente. Creio que a perspectiva de ser aquele indivíduo na cadeira do chefe, por assim dizer, é extremamente valiosa. Como já fiz as duas coisas – fui *coach* e tive um para me assessorar –, sei que esse profissional pode ter um valor inestimável para a pessoa naquela cadeira.

Você pode trazer o melhor *coach* do mundo para a sua empresa, mas, se a pessoa na cadeira do chefe preferir, por algum motivo, não aceitar a assessoria dele, todo o esforço será perdido.

É por isso que os CEOs são as pessoas mais importantes na organização, pois podem escolher entre fazer ou não fazer as coisas acontecerem.

O *coach* não tem uma varinha de condão para fazer as coisas mudarem independentemente dessa decisão. Não funciona assim. Ele pode apenas acender uma luz e auxiliar. No fim das contas, é a disposição do CEO para gerar ação que faz a verdadeira diferença. Portanto, se você está trabalhando com um *coach*, parta para a ação após a consulta com ele. Ação consistente. Assim, ela será expressiva.

81. Crie uma visão

O motivo pelo qual a maioria das metas não é alcançada
é que perdemos tempo fazendo coisas secundárias primeiro.

– Robert J. McKain, consultor administrativo

Sem criar uma visão para a minha equipe, ela viverá de acordo com seus problemas.

Sem metas (os subsistemas da visão geral), a minha equipe só apagará incêndios em meio a distúrbios emocionais, se preocupando com o comportamento deficiente de outras pessoas. Como líder, terei atraído uma existência baseada em problemas. Logo, acabarei fazendo somente o que *tenho vontade* de fazer, depondo contra mim mesmo e utilizando apenas os mais ínfimos recursos do meu cérebro.

Mas, quando começamos a *criar*, usamos mais o cérebro. Alcançamos nosso mais alto desempenho como seres humanos. Portanto, a minha primeira tarefa como motivador é criar a visão de quem queremos ser, e então viver essa imagem como se já estivesse concretizada, neste exato momento.

E tem de ser uma visão que eu possa mencionar todos os dias. Não pode ser uma afirmação meramente afixada na parede, do tipo que ninguém mais vê após as reuniões. Não é à toa que uma das mais freqüentes queixas que aparecem nas pesquisas de satisfação entre os funcionários é: "Ele não tinha idéia de que rumo estávamos tomando. Não tinha visão de futuro para nos passar".

Crie uma visão. Viva essa visão.

82. Pare com a mania de perseguição

Coragem não é ausência de medo, mas o discernimento de que há algo mais importante que o medo.

– Ambrose Redmoon, filósofo norte-americano

A pior armadilha para você como líder é ficar imaginando, a cada momento, o que os outros líderes pensam de você e fazer coisas superficiais para impressionar a alta cúpula da empresa, em vez de se dedicar a coisas reais que encorajem o seu pessoal.

A boa liderança por meio de exemplos (o maior motivador das pessoas) aparece quando você se torna independente e melhor naquilo que faz, e não quando leva em conta a opinião que as outras pessoas têm sobre você. Isso lhe permite aumentar sua força de liderança a cada dia e construir sua auto-estima.

Paradoxalmente, quanto mais focamos nosso melhor trabalho e nossa ação em alcançar metas pessoais e profissionais, mais podemos ajudar os outros. Nada há nada de egoísta nisso.

Ninguém é menos inspirador do que aquela pessoa que vive tentando se antecipar às críticas dos outros.

83. Lidere vendendo

Todas as pessoas vendem algo para viver.

– Robert Louis Stevenson

Dan Kennedy é um especialista em *marketing* que já fez muitas vendas diretas na vida. Ele observou que os mais bem-sucedidos médicos, advogados, professores e empresários com quem trabalha possuem, invariavelmente, alguma experiência em venda.

Scott Richardson relembra: Eu me admirava, antes, por não ter problemas para envolver as pessoas em projetos. Isso é muito fácil para mim. Então ouvi o comentário de Dan Kennedy. E sabem de uma coisa? *Ele está certo!* Antes de ter alguma experiência com venda direta, eu tinha muita dificuldade para envolver as pessoas em projetos e idéias. Depois de adquirir essa experiência, fiquei ótimo nisso. Vou contar como passei por essa transformação na minha vida.

Antes de entrar para a faculdade, resolvi passar as férias vendendo livros de porta em porta, na Pensilvânia. Fiz o treinamento de uma semana oferecido pela empresa, chamada Southwestern, a maior companhia de venda de livros de porta em porta dos Estados Unidos. (Eles empregam principalmente estudantes universitários para trabalhar nas férias.)

Naquela semana, aprendemos o básico. Era o tipo de venda ao estilo tradicional: você aprendia os argumentos e os memorizava. Em seguida, aprendia as abordagens de venda de casa em casa, como inspirar confiança, entrar na casa e fazer sua apresentação, como fechar (pedir gentilmente para registrar o pedido). Venda clássica.

Já na primeira casa que visitei, vendi alguma coisa. E pensei: *Puxa, esse lance funciona. É muito fácil.*

E aquela foi a última venda que fiz em duas semanas. O meu gerente de vendas resolveu trabalhar comigo para ver o que não estava dando certo. Ele me deu um diagnóstico: "Scott, você não está fechando. Não está sequer pegando o pedido".

"Como assim, não estou fechando? Claro que estou fechando."

"Não está, não. Não fechou uma única vez."

"Não?"

"Não. Olhe. Sei que ensinamos a fechar pelo menos três vezes, mas para você não há limite. Comece a mostrar um pouco os livros às pessoas e então feche. E se disserem: 'Não estou interessado', você diz: 'Entendo', mostra um pouco mais e depois fecha novamente."

Eu disse: "Isso é loucura! Vão me dar um chute no traseiro!"

"Experimente."

Pensei: *Já que a outra forma não está dando certo, o que tenho a perder?*

Assim, na próxima casa que visitei, apresentei os livros um pouco e perguntei à senhora sobre o pedido. Ela disse: "Não estou interessada".

"Tudo bem, entendo a senhora", eu disse.

Em seguida, mostrei mais um pouco e fechei novamente. E ela disse: "Olhe, não sei, não tenho dinheiro".

"Entendo exatamente o que a senhora quer dizer", comentei.

E mostrei mais um pouco, fechando mais uma vez. Fechei pelo menos cinco vezes e pensei: *Puxa, quanto tempo isso vai levar? Como ela não me chutou para fora ainda, vou continuar tentando.*

Por fim, creio que na sexta tentativa, ela disse: "Tudo bem!"

Fiquei chocado.

Alguns dias depois, uma coisa extraordinária aconteceu.

Descobri que aquela senhora trabalhava em um banco lá mesmo em Gettysburg, na Pensilvânia. Um dia, quando fui ao banco depositar todos os meus cheques de vendas, eu a vi. Trabalhava no caixa. Apresentei meus cheques para depósito, e ela pareceu constrangida ao me ver. Então pensei: *Puxa, talvez eu a tenha forçado a comprar e agora ela se arrependeu. Mas sempre dizemos que eles podem cancelar o pedido.*

Empurrei-lhe todos os cheques e disse: "Quero depositar".

E ela disse: "Sabe, Scott. Espero que você não tenha se importado por eu demorar tanto para decidir. É que eu precisava ter certeza de que realmente queria os livros. Agora estou contente com eles".

Que lição! A partir daquele momento, nunca mais tive medo de perguntar. Em termos de liderança, isso significa simplesmente pedir o que você quer, ser bastante direto nas suas solicitações e centrar a sua comunicação em pedidos e promessas.

Decida o que você quer que as pessoas comprem e, então, venda-lhes a idéia. Mas não se esqueça de concluir. Não se esqueça de fazer um pedido firme e específico (o fechamento) e de receber em troca uma promessa firme e específica.

84. Apegue-se aos princípios

Em questão de estilo, nade com a corrente;
em termos de princípios, seja firme como uma rocha.

– Thomas Jefferson

"Discipline-se, e os outros não precisarão disciplinar você", costumava dizer o técnico de basquete John Wooden a seus jogadores. "Jamais minta. Jamais trapaceie. Jamais roube" e "Conquiste o direito de ter orgulho e de ser confiante".

Estamos começando a compreender por que John Wooden foi o mais bem-sucedido técnico de basquete de todos os tempos. Ninguém sequer chegou perto dele. Ninguém jamais motivou seus atletas de maneira tão grandiosa quanto Wooden.

Rick Reilly, o talentoso redator esportivo, relembra: "Se você jogava com ele, tinha que seguir suas regras: nunca fazer um ponto sem reconhecer os colegas de time. Uma única grosseria, e você estava fora o dia todo. Tratar o adversário com respeito. O técnico acreditava em coisas antiquadas, mas que garantiam a vitória nos campeonatos. Nada de drible por trás ou no meio das pernas. ('Não há necessidade', ele dizia.) Nenhum número de camisa era aposentado com ele. ('E aqueles rapazes que vestiram essa camisa antes? Não contribuíram para o time?', Wooden costumava dizer.) Nada de cabelo comprido, nada de barba por fazer. 'Demoram demais para secar e você pode ficar resfriado quando sair do ginásio', ele dizia. Isso deixava seus jogadores doidos. Um dia, o jogador Bill Walton apareceu com barba. 'É meu direito', ele insistiu. Wooden perguntou se ele acreditava realmente naquilo. Walton disse que sim. 'Que bom, Bill', o técnico disse. 'Admiro as pessoas que têm convicções e se apegam a elas. Admiro mesmo. O time vai sentir sua falta.' Walton tirou a barba na mesma hora. Hoje, ele liga uma vez por semana para dizer ao técnico como gosta dele".

Há duas maneiras de motivar os outros. Você pode se esforçar para ser amado ou, como John Wooden, pode conquistar o respeito deles. Quando esse respeito é profundo, você pode até acabar sendo amado.

85. Crie seus relacionamentos

Uma vida de reações é uma vida de escravidão,
tanto intelectual quanto espiritual. É preciso
lutar por uma vida de ação, não de reação.

– Rita Mae Brown, escritora

Quando assessoramos líderes que têm dificuldade para motivar os outros, vemos claramente que o problema básico deles é que *reagem*, o dia todo, aos seus subordinados.

Eles ficam sufocados por suas próprias reações negativas às pessoas. Depois de algum tempo escutando esses gerentes, ficamos com a impressão de estar ouvindo uma música sertaneja. Todas falam da mesma coisa. Os temas são: "Fui magoado tantas vezes que nunca mais vou me apaixonar", ou "Não confio nas mulheres", ou "Não se pode confiar nos homens".

A música sertaneja é ótima, e aquelas canções realmente tristes – que expressam a poesia do estado de vítima – são lindas em si, mas sua filosofia básica não é eficaz para criar a equipe motivada que desejamos.

Gerentes que passam o dia reagindo emocionalmente ao comportamento de seus funcionários acabam se sentindo mal. Eles precisam de uma mudança sutil; nada grande, mas uma mudança delicada, como a troca de marchas em um carro. Precisam passar da reação para a criação.

Reagir se tornou um hábito e, como todo hábito, é perfeitamente passível de mudança.

O *coach* Dan Sullivan acerta em cheio quando diz: "A dificuldade em mudar um hábito está no fato de mudarmos algo que para nós parece completamente natural. Os hábitos, tanto bons quanto ruins, parecem naturais. É a natureza deles. Quando você muda um hábito ruim que parece natural para um bom que também parece natural, sente a mesma coisa. Os resultados, porém, são totalmente diferentes".

Um dos primeiros passos para mudarmos o hábito de reagir aos nossos subordinados é fazer a nós mesmos uma pergunta simples, que Ralph Waldo Emerson, filósofo e poeta norte-americano, fez muitos anos atrás: "Por que a minha felicidade deveria depender dos pensamentos que passam pela cabeça de outra pessoa?"

Essa pergunta, independentemente da resposta que receba, nos oferece a perspectiva mental necessária para vermos as possibilidades de nos relacionarmos criativamente com os outros, em vez de apenas reagirmos a eles.

86. Não tenha medo de pedir

Se você ganhar uma posição de confiança e poder,
sonhe um pouco antes de pensar.
– Toni Morrison, escritora

Você não gostaria de poder simplesmente *pedir* aos seus superiores que ajudassem a sua equipe a fazer determinadas coisas? O seu trabalho na função de líder seria muito mais simples se se resumisse a fazer pedidos e promessas, seguidos das respectivas ações para realizar tudo isso. E pode ser.

Antes de perguntar, é interessante saber que todas as pessoas (seus superiores, seus clientes, seus funcionários) querem realmente dizer "sim".

Certa vez, participamos de um seminário sobre comunicação e um dos exercícios que nos deram tinha o intuito de dramatizar o fato de que as pessoas querem, na verdade, dizer "sim".

Uma tarefa que nos passaram durante o longo intervalo para o jantar era sair e fazer três pedidos absurdos, para que as pessoas respondessem com um "não". Essa era a tarefa: *tínhamos* que receber três "nãos" como resposta antes de voltarmos do intervalo.

Pensamos que seria simples. Depois de Scott terminar o jantar, ele foi falar com uma moça de outra mesa e disse: "Sabe, moça, estou com pouco dinheiro. Você poderia pagar o meu jantar?"

Ele achou que era um pedido absurdo e ela diria: "Suma daqui!" Mas ficou pasmo com a reação dela.

"Bem, não tenho certeza se meu dinheiro é suficiente", ela disse. Então Scott começou a provocá-la a dizer "não".

"Tudo bem, só estou perguntando. Você pode dizer não."

Mas ela não dizia! E comentou: "Bem, não tenho certeza..."

"Ou seja, 'não'?"

"É, acho que não."

"Obrigado!"

Foi muito difícil para Scott conseguir que ela dissesse "não". Quando ele chegou ao caixa para pagar, havia um homem esperando e Scott pensou: *Sem problema, agora. Vou conseguir um "não" rápido dele.*

"Sabe, estou com pouco dinheiro", Scott disse. "Você poderia pagar a minha conta?"

"Não sei... O que é isso?"

"Bem, você pode simplesmente dizer não."

Demorou um bocado (Scott estava quase implorando que o homem dissesse "não"), mas finalmente ele disse.

Dois "nãos", ainda faltava um. Scott se virou para uma mulher que estava ao seu lado e perguntou: "E quanto a você? Pode pagar a minha conta?"

Ela tinha ouvido tudo, por isso parecia fácil obter um "não" dela! Mas não foi. E depois de uma longa negociação, em que ela se mostrou bastante disposta a pagar o jantar de Scott, finalmente disse "não".

Esse exercício nos ensinou muito. Todas as pessoas querem dizer "sim".

Agora, sempre que queremos criar um projeto, sentimos que temos liberdade para começar a perguntar. Não hesitamos nem temos medo de fazer o que a maioria das pessoas chamaria de "pedidos absurdos". Porque sabemos por experiência (após ter verificado muitas vezes) que a tendência natural das pessoas é dizer "sim".

Portanto, peça o que você quer, tanto aos seus superiores quanto aos subordinados. Se a sua equipe precisa de algo da gerência superior, peça. Quando obtiver uma resposta positiva, leve a boa notícia à equipe, mostrando como os superiores concordam em fazer as coisas progredirem. Com isso, você ensinará ao seu pessoal o poder do pedido.

87. Não mude a si mesmo

É preciso tremenda coragem para você admitir a si mesmo que não é deficiente em coisa alguma.

– Cheri Huber, escritora e filósofa zen

Você não precisa mudar!

Muitas pessoas que assistem às nossas palestras ou lêem os nossos livros entram em contato conosco dizendo: "Preciso mesmo de uma mudança. Preciso mudar totalmente a minha vida. Tenho sido um gerente inconsciente, mandão e paranóico, mas estou pronto para aprender a ser líder".

Nós dizemos a elas o mesmo que a todas as pessoas: Você não precisa mudar. Só precisa de uma alteração sutil.

Para fazer o seu carro andar melhor e mais rápido, você precisa trocar o câmbio? Ou simplesmente trocar de marcha? Quando você troca de marcha, é muito difícil? Difícil como trocar o pneu? Ou você só desliza a mão e troca?

Para que a sua mente conduza você até o próximo nível de desempenho como líder, só precisa trocar de marcha. Não precisa substituir o câmbio.

É uma alteração sutil. Só isso.

Você precisa mudar de atitude? Como? Por quê? Afinal, o que é uma atitude? Como se pode mudá-la?

Atitude é uma palavra que os velhos usam para intimidar os jovens. É um dispositivo de controle sádico: "É melhor mudar sua atitude, filho!"

"Como, pai?"

"Não me provoque, filho."

"O que é atitude, pai? Como posso ter acesso a ela? Se não consigo nem identificá-la, como posso mudá-la?"

"Ela é ruim, isso posso lhe dizer."

Se você alguma vez se envolveu em uma conversa assim, desviou pelo caminho errado nesse conceito de mudança. Reinventar a si mesmo é possível, mas somente como resultado de trocas sutis. É um caminho, não uma revolução. Torna-se um estilo de vida.

Comece.

88. Incremente seus *e-mails*

> *Nenhum pessimista jamais descobriu os segredos das estrelas, ou viajou por mares desconhecidos, ou abriu um novo céu para o espírito humano.*
>
> – Helen Keller

Todo comunicado por *e-mail* que você envia à sua equipe é uma oportunidade. É uma nova chance de energizá-la e transmitir otimismo, para contagiar a todos com o entusiasmo necessário para o próximo projeto.

Mas nove em cada dez gerentes ignoram essa oportunidade. Enviam *e-mails* neutros, curtos, concisos... às vezes até carregados de irritação.

Isso é um erro. Pois a sua primeira tarefa, mesmo antes de informar, é motivar.

Comece por isto: entenda que o *e-mail* é um meio de comunicação frio. Não há tom de voz nele. Não há brilho nos olhos nem expressões calorosas. É apenas uma forma eletrônica e fria de comunicação.

Por isso, mesmo um *e-mail* neutro causa uma sensação de frieza no destinatário. Uma simples transferência de informação parece gelada e negativa, a menos que você aproveite a oportunidade para incrementá-la. Incremente sempre.

Todo comunicado de gerente para funcionário é uma oportunidade de despertar otimismo. Não perca essa oportunidade. O verdadeiro líder não a perde.

Analise o seu *e-mail* antes de enviá-lo. Ele é enaltecedor? Contém algum reconhecimento ou valorização dirigidos ao destinatário? Elogia? Inspira? Vai deixar alguém feliz?

Se não faz nada disso, dê um tempo e reexamine o *e-mail*. Mude do tom negativo para o positivo. Que seja um tom animado. Pergunte a si mesmo: Eu ficaria feliz se recebesse este *e-mail*? Eu me sentiria honrado e valorizado?

Estudos comportamentais continuam mostrando que o reforço positivo funciona sete vezes mais que a crítica negativa para mudar o comportamento.

A crítica negativa causa ressentimento, depressão, raiva e sabotagem. As pessoas dificultam o trabalho do líder quando se sentem alienadas e desvalorizadas.

Incremente as coisas e veja o que acontece. Não aceite estas idéias só por aceitar – experimente e verifique. Envie a metade da sua equipe um *e-mail* neutro e, à outra metade, um positivo, e veja de quais membros você obterá os melhores resultados.

Teste esse conceito colocando-o em prática. Você vai adorar os resultados.

89. Pare de forçar

Puxe o fio, e ele seguirá o caminho que você quiser.
Force e empurre o fio, e ele não irá a lugar algum.
– Dwight D. Eisenhower

Thomas Crum ministra seminários sobre como utilizar a filosofia do *aikido* no cotidiano da empresa. Ele chama esse ensinamento de "a magia do conflito".

Scott se lembra de uma das demonstrações de Crum. Ele pediu a uma pessoa da platéia que fosse até a frente da sala e se colocasse diante dele.

"Levante a mão assim", disse, levantando a mão como se estivesse fazendo um juramento, tocando a mão levantada do estudante. Este, em uma reação automática e natural, empurrou a mão do outro.

Crum disse: "Esse é o jeito natural dos seres humanos. Eu forço, você resiste. Você força do seu lado".

Em seguida, ele pediu ao estudante que estendesse a mão, mas com o punho fechado. O estudante assim o fez, e Crum fechou o próprio punho e o pressionou contra o outro à sua frente. Os dois usaram a força, empurrando cada um do seu lado.

"É assim que vivemos boa parte da vida", Crum disse. "Exatamente assim. Um impasse ou uma luta, em que tento vencer e você tenta vencer. No *aikido*, nunca resistimos."

Nesse instante, Crum baixou o braço e imediatamente o voluntário empurrou o punho contra ele (e, no *aikido*, você vira na direção da pessoa passando por você). Crum se virou junto com o voluntário e o levou rápida e gentilmente ao chão.

Ele disse: "Isso é *aikido*. Eu não resisto, por isso não estamos mais lutando. E adivinhem o que acontece? Ficamos em perfeito alinhamento, e é muito fácil direcionar essa pessoa para onde eu quiser que ela vá. É assim que funciona o *aikido*".

As palavras *ai ki do* significam *mesclar* nossas forças interiores, não usar uma força contra outra. Todos os movimentos dessa arte marcial convergem para o ponto onde tanto o *ki* do agressor quanto o meu se mesclam. Nesse ponto exato, quando estamos alinhados, tenho controle da outra pessoa e do que acontece com ela e seu corpo. Controle total. Não requer esforço, porque estamos em completo alinhamento.

A aplicação desse princípio para motivar os outros é profunda, pois não quero resistir ao que o meu pessoal está fazendo ou dizendo. Quero, isso sim, direcionar a energia interior natural de cada um para um objetivo mútuo, deles e meu. Quero receber e direcionar a energia natural dos membros da minha equipe. Não quero me opor a ela nem usá-la de maneira equivocada.

90. Torne-se consciente

O chefe cria medo, o líder, confiança. O chefe culpa,
o líder corrige erros. O chefe sabe tudo, o líder faz perguntas.
O chefe faz do trabalho algo maçante, o líder o torna interessante.

– Russell H. Ewing, escritor

Se sou um gerente inconsciente, será que posso aprender a ser um verdadeiro líder?

Claro que posso. Se você pretende se converter em um verdadeiro líder, comece por fazer aquilo que é inconsciente (seus compromissos e princípios operacionais como líder) se tornar consciente e claro. Esse é o primeiro passo. Esse processo é tão simples quanto aprender a usar um programa de computador.

Talvez você possa convocar uma reunião e explicar claramente por que e como pretende liderar. Deixe tudo claro. Se houver outros líderes na sala, inclusive pessoas em cargos de chefia subordinadas a você, convide-as a fazer o mesmo. Quanto mais abertos formos em relação ao nosso modo de liderar, mais motivadas estarão nossas equipes.

Um dos exercícios que gostamos de fazer em nossos seminários sobre liderança é pedir às pessoas que escrevam o nome de alguém que elas admiram e respeitam como líder. Pode ter sido uma avó, um superior no exército, um antigo professor ou o gerente de alguma empresa onde já trabalharam. Algumas pessoas escrevem o nome de um líder histórico que as influenciou, como John F. Kennedy ou Winston Churchill.

Experimente fazer esse exercício agora. Pense em alguém em sua vida que você respeita como líder. Escreva o nome da pessoa. Agora, escreva as três qualidades que você mais admira nela. Não continue lendo este livro enquanto não fizer isso.

Certo, agora olhe essas três qualidades. Podem ser qualquer coisa – honestidade, franqueza, fé total em você, criatividade, estilo de ensino sem julgamento. Sejam quais forem as qualidades, olhe para elas agora. Provavelmente – e em nove entre dez casos isso acontece –, essas são qualidades *presentes em você agora*, como líder. E são as três coisas que as pessoas diriam de *você*! Olhe para elas. Não é verdade? Elas não são você?

Esse exercício é poderoso, porque lhe mostra como você já internalizou e já se modelou de acordo com os líderes que admira. Mas, até agora, isso era inconsciente. O truque é torná-lo consciente e estar atento a essas qualidades todos os dias.

Nada é mais desestimulante que um líder que demonstra ter intenções ocultas, oriundas de valores inconscientes. As pessoas se sentem desencorajadas quando precisam adivinhar, a cada dia, que forças norteiam seu líder.

É muito melhor que você e o seu pessoal estejam plenamente *conscientes* do que querem.

91. Conduza ao futuro

A verdadeira essência da liderança é ter visão.
Você não pode soprar um trompete incerto.
– Theodore M. Hesburgh, ex-reitor da Universidade de Notre Dame

É comum que os gerentes, inconscientemente, deixem as reuniões de equipe e as individuais enfocarem apenas o passado.

Mas esse constante refrão de como eram as coisas e por que tudo era "mais fácil antigamente" desmoraliza a equipe. As pessoas passam períodos longos e desnecessários sentadas, discutindo, lamentando e revendo falhas e erros.

Tudo isso é feito às custas do futuro, do otimismo, do moral e de um senso de direção ordenada e positiva.

Um bom motivador não comete o erro de se tornar obcecado pelo passado. Um bom motivador usa o passado como trampolim que o leva imediatamente a uma discussão sobre o futuro: "Que lição podemos tirar desse erro, que nos sirva para o futuro? Se acontecer de novo, como podemos lidar melhor com isso?"

Para um bom motivador, o passado só tem um propósito: fornecer material de construção para criar o futuro. O passado não é algo a que devemos nos apegar, nem uma desculpa para lamentações, culpas, nostalgia, ataques pessoais ou atitude derrotista. O líder sabe que liderar *significa* conduzir as pessoas ao futuro. Assim como o chefe dos escoteiros conduz as tropas pela floresta, o verdadeiro líder conduz os membros da sua equipe ao futuro.

Para aprimorar a sua liderança, você pode aprender a aumentar a porcentagem da sua comunicação com enfoque no futuro: discutir a próxima semana, planejar o mês seguinte, estabelecer as metas para o ano seguinte ou considerar as oportunidades disponíveis daqui a dois anos. Seja meticuloso e bem preparado ao discutir o futuro. Ainda que os detalhes não sejam conhecidos, os compromissos, a visão e as estratégias são.

Gerentes não-motivadores inconscientemente desvalorizam e disseminam medo do futuro. Dizem que o futuro é imprevisível e perigoso. Exageram os problemas potenciais e enfatizam a imprevisibilidade de tudo. Tentam se passar por realistas quando, na verdade, seria muito mais realista admitir que eles não fazem a lição de casa.

Você pode motivar os outros sendo uma fonte constante de informações e comunicados interessantes sobre o futuro da equipe.

92. Ensine as pessoas a se auto-ensinar

Se você quer que um homem esteja do seu lado, nunca o faça sentir que ele depende de você. Faça-o sentir que você depende dele.

– General George C. Marshall

Scott se lembra de uma história que Rodney Mercado lhe contou sobre o grande virtuose Jascha Heifetz e o inexecutável concerto para violino de Tchaikovsky.

O professor de Heifetz foi o grande violinista húngaro Leopold Auer. Mercado disse, um dia: "O próprio Auer não era capaz de tocar o concerto para violino de Tchaikovsky na velocidade certa. Essa peça nunca fora tocada na velocidade certa, até aparecer Heifetz".

Heifetz foi o primeiro a executar a peça na velocidade certa! E se Auer, seu professor, não era capaz de tal proeza, mas dava aulas a Heifetz, como este conseguiu?

Algumas pessoas poderiam dizer: "É só questão de talento". Mas essa não era a explicação, segundo Mercado. Ele disse: "Scott, se Auer estivesse ensinando Heifetz a tocar como Auer, ele nunca teria tocado o concerto para violino de Tchaikovsky na velocidade certa. Mas Auer não fez isso. Ele estava *ensinando o aluno a se auto-ensinar* a tocar o instrumento. E foi assim que Heifetz aprendeu a se tornar melhor que seu professor".

Essa é uma distinção muito importante. E por isso Auer foi um professor tão extraordinário.

A sua meta, como líder, é ensinar como Leopold Auer ensinava, sem o menor medo de que os seus seguidores se tornem melhores que você. É isso que um bom treinador e um bom líder fazem. Eles não nos ensinam a ter uma carreira grandiosa. Eles nos ensinam *como nos auto-ensinar* a ter uma carreira grandiosa.

93. Pare de se desculpar por mudanças

Se o ritmo da mudança externa excede o
ritmo da mudança interna, o fim está próximo.
– Jack Welch

Gerentes que se desculpam por qualquer mudança à qual a equipe tem de se adaptar semeiam baixo moral e desânimo.

Sempre que introduzem uma nova política, regra, produto, sistema ou projeto, eles pedem desculpas. Com isso, indicam que a mudança é prejudicial para o bem-estar da equipe e esperam, um dia, não precisar mais sofrer tanto com ela. Essa atitude tem um motivo inconsciente, a vontade de parecer solidário e de ser amado, mas resulta em uma equipe de vítimas e aumenta de maneira dramática o tempo que as pessoas levam para assimilar e se sentir à vontade com a mudança.

O verdadeiro líder não se desculpa pela mudança. Ele não alimenta o medo que a acompanha. Ao contrário, o líder é um defensor da mudança. Ele comunica incansavelmente os benefícios de uma organização que está sempre inovando. O líder apóia uma organização que está continuamente se reinventando, alcançando níveis mais altos de produtividade e inovação.

Toda mudança ocorre por uma razão. E é sempre adotada porque seus fatores positivos superam os negativos. Portanto, se você quer ser um líder altamente motivador, aprenda quais são os fatores positivos, do começo ao fim. Descubra tudo que puder a respeito do lado bom da mudança, pois nisso consiste a liderança. Liderar é comunicar o lado positivo.

Gerentes inconscientes costumam se sentir tão pouco à vontade com as mudanças quanto sua equipe, por isso vivem pedindo desculpas por elas, o que aumenta ainda mais a impressão de que a equipe está completamente desligada da missão da empresa.

Mas você, não. Você é um líder e, como tal, está sempre religando a sua equipe à missão da empresa. Não peça desculpas pelas mudanças. Por que se desculpar por algo que deve melhorar a força da organização? Toda mudança é feita (pelo menos a última delas) com o único propósito de fortalecer a viabilidade final da organização.

É por isso que você defende a mudança. É por isso que você vende a mudança à sua equipe.

94. Deixe as pessoas descobrirem

As pessoas perguntam qual é a diferença entre um líder e um chefe.
O líder trabalha às claras, o chefe às escondidas.
O líder lidera, o chefe dirige.

– THEODORE ROOSEVELT

Novamente, Scott relembra o professor Rodney Mercado e sua chave mestra para obter um desempenho notável das pessoas que ele ensinava e motivava.

Se você ouvisse dois alunos de Mercado tocando juntos, poderia jurar que eles não tinham o mesmo professor. Você diria que isso era fisicamente impossível, porque seus estilos eram radicalmente diferentes. A maioria das pessoas que estudam música sabe que é possível identificar o professor pelo modo como o aluno toca.

Mas, com Mercado, não só era impossível fazer isso como você seria capaz de jurar que os dois alunos *não poderiam* ter o mesmo professor, que isso seria inconcebível.

Um exemplo típico era a maneira de segurar o arco, algo fundamental. Mercado dizia: "Ok, Scott, quero que você deixe a mão assim", e me direcionava para uma posição extrema, por exemplo, estendendo a mão ao ponto mais distante à direita dentro do alcance do arco. Mandava-me tocar um pouco e depois dizia: "Certo, muito bem. Agora quero que você faça o contrário", e me direcionava para a posição oposta, à esquerda – muito desconfortável –, depois dizia: "Toque essa passagem".

Por fim, ele perguntava: "Agora, se você tivesse de escolher um dos dois extremos, qual seria?"

"A posição à esquerda, porque é um pouco menos desconfortável que à direita."

"Então você vê, Scott, que provavelmente deve usar uma posição entre os dois extremos, tendendo mais para a esquerda que para a direita. Encontre a posição mais adequada para você."

E se eu dissesse: "Mas e se os outros disserem que eu devo deixar a mão em determinada posição?", Mercado mencionava uma série de violinistas profissionais e suas diferentes posturas. E me pedia para considerar isso.

"O que você acha, Scott?"

"Bem, parece, então, que não existe um jeito certo de tocar."

"É isso mesmo. Por isso, encontre o jeito certo para você."

Aprendi muito com isso, e adaptei o ensinamento para a motivação de pessoas, fazendo-as entender que não existe um jeito certo de fazer as coisas. Em vez de mostrar a elas o “jeito certo” de dar um telefonema ou de obter informações de um cliente, as deixo desenvolver seu próprio modo de trabalhar. A lição que aprendi, muito tempo atrás, na aula de música, foi que as pessoas *motivam a si próprias*, cada uma ao seu modo, desde que você as oriente gentilmente nessa direção.

95. Seja um otimista radical

Um líder é um negociante de esperança.

– Napoleão Bonaparte

O pessimismo é o erro mais básico que nós, gerentes, podemos cometer. É uma posição, uma postura assumida pelo gerente que não é otimista quanto ao futuro da organização e, portanto, da equipe.

Significa uma recusa em se preparar para as reuniões de equipe aprendendo antes a razão por trás das mais recentes decisões da empresa. É uma recusa em zelar pelo sucesso da empresa; uma resistência em defender a estratégia contínua da organização.

Também é uma tendência exagerada reconhecer e concordar com o lado negativo de todas as questões, sem defender o positivo. Às vezes, o otimismo é uma posição solitária e corajosa demais para assumir, por isso a maioria dos gerentes não a adota. Triste, porém, é que a equipe quer e precisa disso do gerente.

Enquanto o gerente inconsciente não percebe o que está fazendo ao ser tão pessimista o tempo todo, o verdadeiro líder sabe exatamente o que é otimismo e para que ele serve: otimismo é a prática de focar oportunidades e possibilidades, em vez de queixas e lamentações.

O verdadeiro otimista não é como a desmiolada Poliana, que vê tudo através de lentes cor-de-rosa. O verdadeiro otimista é mais realista. Ele não tem medo de enfrentar e entender os problemas da organização. Estando o problema, porém, devidamente identificado e compreendido, o otimista volta a pensar em oportunidades e possibilidades.

Líderes otimistas reconhecem o lado negativo de toda situação, mas concentram a maior parte do seu pensamento no lado positivo. Além disso, orientam para o positivo a maior parte da sua comunicação. Eles sabem que a equipe está ciente do aspecto negativo, mas o positivo não é tão bem conhecido. Quem quer parecer um idiota otimista? É muito mais fácil, e você se torna muito mais popular, se for um sábio pessimista. Mas isso não é liderança.

Ser otimista diante de uma equipe descontente e pessimista requer coragem e energia. É algo que a maioria dos membros de uma equipe não está disposta a fazer. É o coração e a alma da liderança. E, embora você possa ser atacado de vez em quando, no fim das contas – no fim de tudo, quando sua vida estiver quase acabando – esse será o motivo pelo qual a sua equipe mais o amará.

96. Preste atenção

Não espere encontrar explicação lógica para todos os seus problemas; se você não os alimentar com atenção, eles morrem sem você sequer perceber. Fixe o pensamento no trabalho, preencha seus intervalos com companhia, e a luz do sol brilhará de novo em sua mente.

– Samuel Johnson

Tudo aquilo em que você presta atenção expande. Cresce.

Preste atenção nas suas plantas em casa, e elas crescem. Preste atenção na sua causa favorita, e sua paixão e conhecimento aumentarão o sucesso dessa causa. A atenção é assim. Para qualquer lugar que você a dirija, o objeto da atenção cresce.

Quando você falar com os membros da sua equipe, não deixe de prestar atenção nos resultados que deseja, não no esforço para alcançá-los. Quando elogiar os seus gerentes, preste atenção nos resultados que conseguiram, não nas tentativas e no esforço que fizeram para consegui-los.

A maioria dos gerentes não enxerga este ponto vital: tentam recompensar a "tentativa", não percebendo que isso envia ao subconsciente a mensagem de que "tentar" é suficiente. Sua equipe logo pensa que, se puder demonstrar que está fazendo um esforço, se puder demonstrar atividade, não precisará se concentrar nos resultados.

Certifique-se de recompensar os resultados mais do que qualquer outra coisa.

Se fizer isso, os resultados serão melhores. *Você* tem que ser a pessoa que vive falando de números, se quiser que determinado indivíduo cumpra essa meta.

Se, em vez disso, você se compadecer, admitir que tudo é tão difícil e reconhecer quanto as pessoas estão tentando, só obterá isto: menos resultados e mais tentativas. Tudo aquilo que você elogia cresce. Sempre. É a lei da colheita.

A atenção é poderosa. A maioria das pessoas, porém, deixa sua atenção ser empurrada e puxada o dia todo por forças externas. Um telefonema aleatório. Um *e-mail* perturbador. Alguém que vai até a sua mesa e faz uma pergunta difícil. É assim que a atenção se dispersa.

Mas a sua atenção é como dinheiro. É um tesouro precioso. A atenção é um investimento. Ela paga por aquilo que você quer pagar. Se você investir a sua atenção em coisas que quer (resultados numéricos, mensuráveis e específicos), terá cada vez mais essas coisas.

97. Crie uma rotina

Paciência e perseverança têm um efeito mágico, diante do qual as dificuldades desaparecem e os obstáculos somem.

– John Quincy Adams

O sucesso na liderança não é fácil, mas também não é difícil. Não é tão difícil quanto o tornamos.

O maior obstáculo psicológico para o sucesso motivacional é o mito das características permanentes – aquelas pessoas que pensam que seus hábitos de ação não são hábitos, e sim traços permanentes. Acreditar nesse mito completamente falso é uma armadilha, uma teia de limitações. E é totalmente desnecessário!

Os padrões repetidos de ação que você e eu demonstramos o dia todo são resultados do hábito, não de características permanentes, defeitos de caráter ou distúrbios de personalidade.

Se não gostamos de determinada tendência que temos (algo do tipo adiar aquela conversa importante com um funcionário problemático), então o primeiro passo para corrigir essa tendência é vê-la como ela é: um hábito. Um hábito é um padrão de comportamento que adquire o aspecto de permanente por causa da repetição. Se insisto em adiar tarefas difíceis, dando prioridade às fáceis, isso vira um hábito. É a lei do sistema neurológico humano.

Então, o que devemos fazer?

Para desenvolver um novo hábito, só precisamos criar uma rotina. Isso mesmo, uma rotina! Por favor, repita para si mesmo: "Não preciso de autodisciplina para isso, não preciso de uma nova personalidade, não preciso de força renovada de caráter nem de mais força de vontade. *Só preciso de uma rotina*".

Um dos nossos melhores mentores e *coaches* de produtividade empresarial, Lyndon Duke, disse certa vez que passara muitos anos baixando sua auto-estima porque vivia se queixando das condições de seu apartamento bagunçado. Ele morava sozinho e era um gênio ativo dos negócios, que trabalhava muitas horas com prazer, mas não conseguia manter a própria casa em ordem. Dizia a si mesmo que era uma pessoa indisciplinada e desorganizada. Portanto, em sua mente, ele era desleixado. Característica permanente: desleixo.

Finalmente, um dia ele percebeu que a única coisa que lhe faltava era uma rotina. Só isso! Ele tinha força de vontade, bom caráter e autocontrole. Só lhe faltava uma rotina.

Então, ele criou uma: "Vou passar vinte minutos arrumando as coisas, todas as manhãs". Às segundas-feiras, enquanto a água para o café fervia, ele passava alguns minutos arrumando a sala de estar. Às terças, a cozinha. Às quartas, o quarto. Às quintas, o corredor e a varanda. Às sextas, o escritório e o estúdio. E todos os sábados de manhã, durante vinte minutos, ele fazia uma limpeza um pouco maior em um desses cômodos. Essa passou a ser sua rotina. A beleza de uma rotina é que ela se torna um hábito.

"No começo, era estranho, esquisito", ele disse. "E eu pensava que era uma coisa tão forçada e desconfortável que provavelmente não teria continuidade, mas prometi a mim mesmo fazer uma experiência durante noventa dias. Se a minha teoria estivesse errada, teria a liberdade de parar. A minha teoria era que eu só precisava de uma rotina e, quando isso acontecesse, seria parte natural, sem esforço, da minha vida."

Ele estava absolutamente certo em todo esse raciocínio. Quando o visitamos pela primeira vez, muito tempo depois, quando a rotina já se tornara um hábito, notamos como o apartamento estava limpo e arrumado. Pensamos que ele havia contratado alguém para a faxina. E então ele nos falou do poder impressionante e surpreendente de criar uma rotina.

"Agora isso ficou tão natural que às vezes nem me lembro de ter feito", ele explicou. "Preciso ir até a sala para checar, e lá está! Tudo em perfeita ordem. Eu já tinha feito a arrumação sem pensar."

Se alguma coisa não está acontecendo na sua vida profissional, se você sente que seria mais produtivo se conseguisse ser "mais disciplinado e tal", então suas preocupações acabaram. O problema não é você, é a sua falta de rotina. Você só precisa de uma. Crie e siga a sua rotina e, se fizer isso por noventa dias, será tão fácil e natural que você nunca mais terá que pensar nela.

Você se odeia porque não consegue se preparar para as reuniões com a sua equipe? Não há nada errado com você. Só precisa de uma rotina. Está preocupado porque seus *e-mails* ocupam um tempo precioso da sua vida como líder? Você não está perdendo nenhuma força interior, só não tem rotina. Veja seus *e-mails* em dois momentos específicos do dia e diga ao seu pessoal que é assim que você faz. Crie uma rotina para si mesmo. Siga-a durante noventa dias. E então estará livre.

98. Dê a recompensa

O amor é sempre construtivo e o medo sempre destrutivo. Se você pudesse amar o suficiente, seria a pessoa mais poderosa do mundo.

– Emmet Fox, escritor e filósofo

O princípio mais importante da motivação é este: Você recebe aquilo que dá.

Isso se aplica a todo tipo de relacionamento. Acontece com os animais de estimação, as plantas, as crianças e os amantes. Você recebe de acordo com o que dá. E esse princípio se aplica particularmente à motivação de equipes.

O reforço positivo do comportamento desejado funciona muito mais rápido do que a constante crítica ao mau comportamento. O amor sempre conquista o medo.

Os líderes que descobrem, por conta própria, meios de recompensar o seu pessoal pelo bom desempenho obtêm um desempenho muito melhor do que aqueles que correm o dia todo apagando incêndios causados pela má atuação dos seus funcionários.

O motivo pelo qual a maioria das pessoas não valoriza esse conceito de recompensa é que elas esperam muito tempo até colocá-lo em prática. Esperam para recompensar e, quando percebem, já surgiu um problema enorme. E aí é tarde demais.

Dedique uma parte do seu dia para recompensar as pessoas, mesmo que seja uma recompensa verbal. Dez minutos ao fim de cada dia, por telefone ou por *e-mail*. Recompense. Recompense. (Às vezes, as recompensas verbais e escritas são as que mais inspiram a pessoa a produzir, mais que bônus financeiros.)

Providencie um exemplar do excelente estudo de Bob Nelson sobre como as empresas devem recompensar os seus funcionários, *1001 maneiras de premiar seus colaboradores*, e leia com um marca-texto amarelo ou uma caneta vermelha em mãos. Todas as pessoas que fazem isso aumentam a produtividade da sua equipe. Todos os que estudam esse livro sublinham partes completamente diferentes do texto, depois as traduzem em idéias que se adaptem ao seu estilo. A maioria das idéias não exige tempo extra, apenas um comprometimento extra de recompensar.

Mas você receberá aquilo que der em recompensa.

99. Desacelere

Nada comprova de maneira mais conclusiva a habilidade de uma pessoa para liderar os outros do que suas atitudes diárias para liderar a si mesma.

– Thomas J. Watson, ex-CEO da IBM

Você será um líder melhor quando desacelerar. Terá maior produtividade também.

Parece que não é assim. Parece que desacelerar não é um meio de produzir mais. Mas é. A cada dia que você fizer isso, terá uma produtividade maior. A cada dia que você experimentar essa desaceleração, compreenderá a verdade por trás da fábula da lebre e da tartaruga.

O elemento mais importante da desaceleração é saber que você está sempre trabalhando na coisa certa no momento certo. O consultor administrativo Chet Holmes diz que ele e seus clientes conseguem isso programando para cada dia apenas seis coisas na lista de afazeres. É essa lista que os ajuda a desacelerar.

"Por que só seis coisas?", diz Holmes. "Porque, com uma lista maior, geralmente você tenta apenas encurtá-la. Passa o dia todo tentando diminuí-la. No fim do dia, sente que a maioria das coisas importantes da lista não foi finalizada. Você olha para ela e diz: 'Puxa vida, não fiz as coisas mais importantes'. Há um impacto psicológico ruim em não terminar a lista! Por isso, inclua apenas seis coisas importantes... e *faça de tudo* para completá-las. Você ficará surpreso ao ver quanto realizou."

Se estou na estrada errada, não importa quanto acelere, continuará sendo errada.

Preciso me lembrar sempre disso. Desacelerar e ganhar. Preciso do meu doce e suave tempo. Quero que aquela conversa necessária que vou ter daqui a pouco seja descontraída e forte, para que o meu relacionamento com a pessoa seja descontraído e intenso. Por isso, o dia todo, digo a mim mesmo: Desacelere. Vá mais devagar ainda.

Assim você segue adiante.

100. Decida ser incrível

Quando a vida exige mais das pessoas do que elas exigem da vida – o que geralmente acontece –, o resultado é um ressentimento pela vida quase tão arraigado quanto o medo da morte.

– Tom Robbins, escritor

Ou agora ou no leito de morte, a pessoa compreende uma estranha verdade: Não há desculpa para não ser incrível.

Se você é um líder, você é um líder. Se ainda é apenas um gerente, aprendendo a gerenciar... bem, talvez consiga isso, mas onde está o sentimento de realização? Seu subconsciente se orgulhará de você? E sua família?

Um dia, você decidirá ser excelente naquilo que faz. E não olhará para trás. Nunca se lamentará. Pode não parecer grande coisa no momento da decisão, mas você sabe que a decisão será final. Não terá de ser reconsiderada.

Há um motivo para você ser excelente: as pessoas desejarão segui-lo. Começarão a respeitá-lo. Vão querer ser mais como você. Vão querer fazer coisas por você.

E, se você for honesto consigo mesmo, um dia compreenderá a verdade por conta própria, ou agora ou na hora da morte: Não há desculpa para você não ser incrível.

Leitura recomendada

BRANDEN, Nathaniel. *Auto-estima no trabalho: como pessoas confiantes e motivadas constroem organizações de alto desempenho.* Rio de Janeiro: Campus, 1999.

COONRADT, Charles. *O jogo do trabalho: como transformar sua profissão no seu esporte favorito.* Rio de Janeiro: Sextante, 2008.

DAUTEN, Dale. *The Laughing Warriors: How to Enjoy Killing the Status Quo.* Richmond: Lumina Media, 2003.

GOSS, Tracy. *A última palavra em poder: reinvenção executiva para líderes que precisam fazer o impossível acontecer.* Rio de Janeiro: Rocco, 1997.